仕事で おうちで 役立つ！

おとなのプログラミング入門

ジャムハウス編集部［著］

Jam House

4章 「おしゃべり単語帳」で英語学習 ……61

5章 「DJごっこ」でリズム感をきたえよう ……83

6章 「観戦バスツアー」で最適なルートを考えよう ……101

1 章

大人にも必要なプログラミングの考え方

2020年度から小学校で必修となった「プログラミング」。
これからの子どもたちはみんな学んでいくこととなります。
この「プログラミング」、大人には必要ないものなのでしょうか？
理系じゃないし、仕事でプログラミングは使わないし……
そう思う人も多いかもしれません。
でも、実はそんなことはありません。
大人にだって必要なプログラミングの考え方、
まずはそれがどんなものなのかを見ていきましょう。

1 すべての大人にとって必要なプログラミングの考え方

子どもたちにとっては身近な「プログラミング」

今や、ほぼすべての大人がスマートフォンを持ち歩き、全自動の洗濯機やAI搭載と言われる掃除機、冷蔵庫を使っています。銀行ではATMで入出金し、駅では自動改札や自動券売機を使っているでしょう。こうした機器は、すべてプログラムによって便利な機能を提供してくれて、我々の生活に役立っています。

けれども、「プログラム」や「プログラミング」と聞いただけで、苦手意識を持つ大人も多いでしょう。「プログラミングのことは分からないから」「理数系は苦手だから」と、最初から決めつけてしまう人と出会うことはよくあります。プログラマーやSE（システムエンジニア）などの技術職、あるいは大学や研究機関などの研究職ではない大人にとって、「プログラミング」は遠い世界のことのように思えるかもしれません。

一方で、子どもたちにとってプログラミングは身近になりました。小学校は2020年から、中学校は2021年、高等学校は2022年から、プログラミングの授業を受けることになっています。もちろん、彼らが全員プログラマーを目指すわけではありません。実は、プログラムの考え方「プログラミング的思考＝論理的思考」こそが大切だと考えられているのです。

大人にとっても大切な「論理的思考」

この後のページでも説明しますが、「論理的思考」は大人にとっても大切です。日常生活でいかに効率よく仕事や家事をこなすか、目の前の問題を解決するかといった場面で、論理的思考は必要になるのです。難しく考える必要はなく、多くの人が既に日常的に「プログラミング的思考＝論理的思考」を実践しているのです。

そして今後は家庭において、子どもが学校で出されたプログラミングの課題をいっしょに解く場面があるかもしれません。プログラミングの知識を持っていれば、上手く解決に導いてあげることができるでしょう。「お母さんこれも分からないの？」「お父さんこれもできないの？」と言われてしまう場面も回避できるはずです。

職場では営業職や事務職など非技術系の職種に就いているとしても、プログラミングの知識があれば、技術職とのコミュニケーションがスムーズになります。進捗について理解したり、新たな提案をすることなどもできるようになるかもしれません。

ちなみに、本書では、コンピューターを動かすための命令をプログラム、プログラムを作ることをプログラミングとしています。ともあれ、まず最初の章では、プログラミング、プログラミング的思考、論理的思考がどのようなものなのか、そして日常生活のどのような場面で役に立つのかということを見ていきましょう。

2 小学生も習っているプログラミング

小学校でのプログラミング教育

文部科学省の新学習指導要領により、2020年度から小学生にとってプログラミングは必修になりました。実は、日本が先進的なことをやっているわけではなく、イギリス、アメリカ、フィンランド、韓国など、多くの国では、日本より早くからプログラミング教育が始まっています。

日本の場合、「プログラミング」という科目が作られたわけではありません。算数や理科など既にある教科の中で、プログラミングを体験することになっています。また、学校によっては総合的学習の時間や、クラブ活動、学童保育や地域のサポートなどでもプログラミングを体験できるようにしています。

ただ、学習指導要領には具体的にどのプログラム言語を使って、どのようなことを教えるかまでは示されていません。現状は、先生の技量や学校の取り組みによって違いが生じています。先生方も、どのように取り組むべきか迷う中、多くの教科書会社は次の2つの教育課程において、プログラミングに取り組む方法を提案しています。

・5年生　算数「多角形」
・6年生　理科「電気」

本書の第3章でも、多角形を描く方法を解説しています。多角形を描くことで、プログラミングの基本的な考え方を体験することができます。小学生のお子さんがいるご家庭なら、一緒に取り組んでみてはいかがでしょう。

これからの将来に向けて必要なもの

ところで、最初に書いたように、子どもたちがプログラミングを学習する目的は、プログラマーになるためではありません。最大の目的は、プログラムの考え方「プログラミング的思考＝論理的思考」、さらに「創造性」や「問題解決力」を身に付けることです。

将来はさまざまな仕事が、AIやロボットに奪われるのではないかと心配する人がいます。実際に近い将来、置き換えられてしまう仕事も多く出てくることでしょう。もしそうなったときに必要なのが、自ら新しいものを生み出せる力「創造性」、自分で考えて問題を解決できる力「問題解決力」と、そのための「論理的思考」を身に付けることなのです。

プログラミングに取り組む中で、どんなゲームやアプリを作るのか「創造」し、そのためにどんなプログラムにするべきか「論理的」に考え、目的の機能を実現するための「問題を解決」していくのです。

「プログラミング的思考」を身に付けることが目的なので、いきなりアルファベットをたくさん入力するような、本格的なプログラムに取り組むことはありません。子どもたちが学習の中で最初に触れるのは、コマンド（命令）が書かれたブロックをつなぐだけでプログラムを完成できる「ビジュアルプログラミング」と呼ばれるツールです。

中でも、世界中で利用されているのが、「Scratch（スクラッチ）」です。多くの教科書でもScratchを教材として使っているか、Scratchをベースに作られたツールを使った解説をしています。本書でも、このScratchを使って、プログラミングについて学んでいきます。

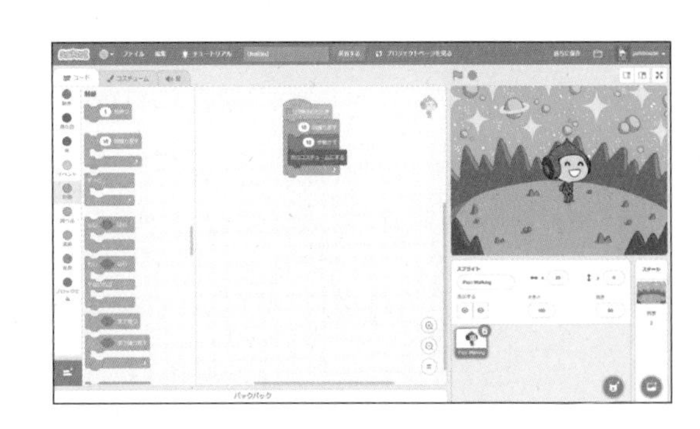

3 大人にも「論理的思考」が大切な理由

日常的に実践している「論理的思考」

「論理的思考」は、大人にとっても必要です。と言っても、身構える必要はありません。誰もが既に論理的思考を実践しているのです。

たとえば、朝起きると、出かけるまでにやることを考えるでしょう。**顔を洗う→トイレに行く→朝食を食べる→着替える→天気予報を確認する→出かける**……のように。

会社に着くと、その日の仕事の段取りを考えるでしょう。**メールをチェックする→取引先に連絡する→見積書を作成して上司にチェックしてもらう→午後の会議で使う資料を用意する→ランチに出かける**……。

料理を作るときも段取りが必要です。**ニンジンとタマネギとジャガイモを切る→鍋に油をしく→牛肉を炒める→切った野菜を入れる→水を入れて煮込む**……。

部屋の掃除をする、会議の進行を考える、旅行の行程を考える、あらゆる場面で実は「プログラミング的思考＝論理的思考」を実践しているのです。そして、経験として分かっていると思いますが、この段取りが上手くいくときは、効率良く仕事や家事ができます。そして、身近に居る、このような段取りが得意で問題解決できる人、新しく改善のアイデアが出せる人のことを「仕事ができる人」「頼れる人」と感じたりするでしょう。

プログラミング能力は究極の「段取り力」

プログラミングの能力は、究極の段取り力とも言えます。たとえば、家族に何かお願いするときには「この回覧板を隣の家に届けて」のように言うでしょう。けれども、プログラムを使ってコンピューターに伝えるとしたら、もっと丁寧に考える必要があります。**廊下に出る→右に向く→5歩歩く→玄関で左足にくつをはく→右足にくつをはく→一歩前に出る→ドアを開ける→3歩前に出る→右を向く→10歩前に進む**……と、1つ1つの動作をすべてコンピューターに伝える必要があるのです。こうしたプログラミングの能力を鍛えることは、日常的な段取り力、論理的な考え方につながっていくのです。

4 学習用プログラミングツール Scratch（スクラッチ）

Scratchを使ってプログラムを学ぼう

それでは、プログラミングの力を身に付けるには、どうすればいいでしょうか。何よりの近道は、実際にプログラムを作ってみることです。そうは言っても、プログラミングなんて難しいと考えられるかもしれません。

たしかに、アルファベットのコマンドを画面いっぱいに入力するプログラムは難しそうです。プログラムにはさまざまな言語があり、ゲームだったり、スマートフォンのアプリだったり、銀行のシステムだったり、特徴に応じて使い分けられています。

もし、プログラミングの考え方を学びたいのだったら、子どもも使っている学習用プログラミングツールを使えばいいのです。本書では、前のページで紹介した、小学校でも広く使われているScratchを使って、プログラムを学んでいきます。

難しい英語のコマンドを覚える必要はありません。コマンドが書かれているブロックをつないでいくだけで、プログラムを完成することができます。そして、完成するプログラムはけっしてチャチなものではありません。シューティングゲームやアクションゲームもできますし、音楽をならしたり、翻訳ツールなどの実用的なアプリも作ることができます。

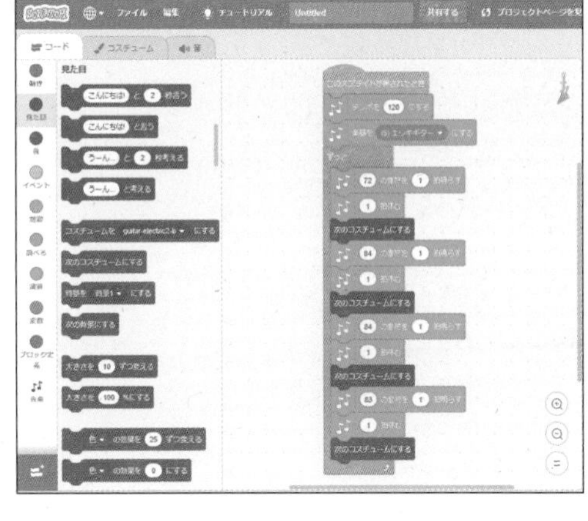

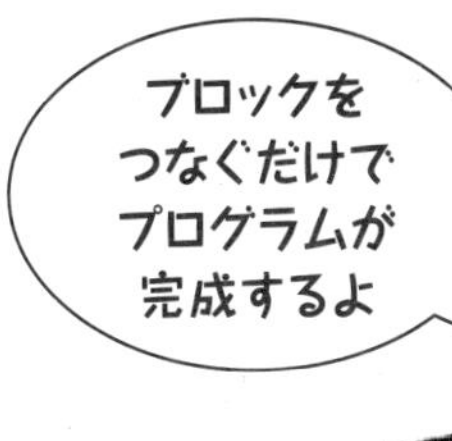

5 プログラムの基本的な考え方

実際にプログラムを作り始める前に、プログラムの基本的な3つの考え方「順次処理」「繰返処理」「分岐処理」と、もう1つ「並列処理」について解説しておきます。この考え方は、本書の作例でも繰り返し出てきます。これ以外にも、プログラムには欠かせない考え方のいくつかを、本書の作例の中で解説しています。

やることを順に処理する「順次処理」

「順次処理」は「逐次処理」とも言って、プログラムのいちばん基本的な考え方です。日常生活でも、「プログラム」という言葉を耳にすることがあるでしょう。「運動会のプログラム」「学芸会のプログラム」「テレビのプログラム（番組表）」などです。日本語では式次第と言ったりしますね。どれも、やることとその順番が決まっていて、スタートしたら上の項目から順に実施されます。このように、やるべきことを順番に処理していくプログラムの考え方を順次処理と言います。プログラムの処理の方法は、図に書くと分かりやすくなります。このような図のことをフローチャートと言います。たとえば、朝起きて出かけるまでにやることの流れをフローチャートに書き出してみましょう。

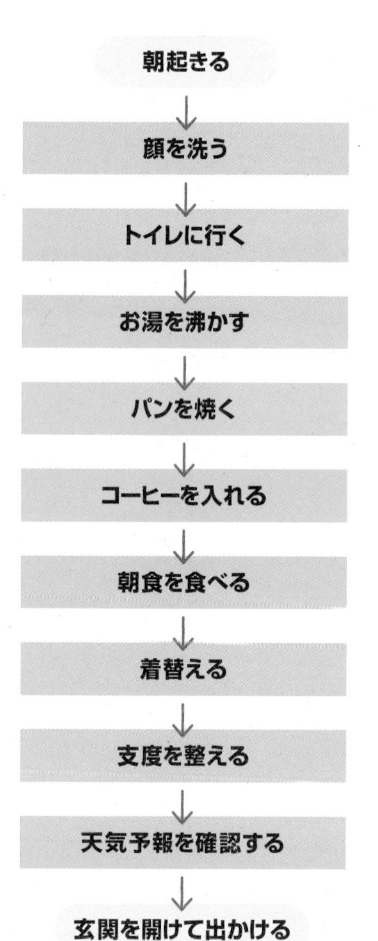

もし、カレーを作る手順をフローチャートに書くと、次のようになるでしょう。

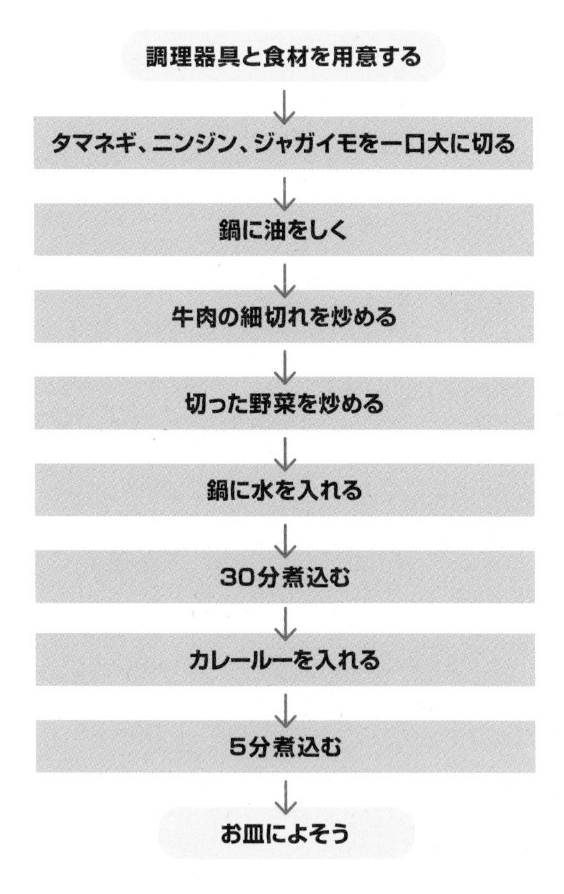

みなさんも、朝起きて出かけるまでの流れなど、毎日の生活の一部をフローチャートに書き出してみてください。ふだんあまり意識せずにやっていることも、フローチャートに書き出してみると、意外な発見があるかもしれません。作業の順序を変えるだけで段取り良く実行できること、実は無駄な作業であったことなどが、見つかることもあります。

週末に家をそうじする前、買い物に出かける前などに、やるべきこと、行くべき場所を書き出してみてもいいでしょう。いったん動き出してから立ち止まって、さてどうしようと考えたり、やっぱりこうすれば良かったということが多い方は、先にフローチャートを書いてから動き出すことをお勧めします。

本書では、実行することの内容によって、フローチャートの記号の形を変えていますが（22ページ参照）、規格として決まった形があるわけではないので自由に変えてもらってかまいません。また、フローチャートに書く代わりに、付箋に書き出して並べる方法もお勧めです。全体の流れを確認しながら、並べ替えることも簡単です。

何度も繰り返す「繰返処理」

次に、「繰返処理」です。子どものころは、漢字ドリルで同じ漢字を繰り返し10回ずつ書くといった経験をしたことがある方も多いでしょう。仕事であれば、100件の顧客情報をデータベースにひたすら入力する、家事ならば50個のギョウザをひたすら包むといったこともあるでしょう。

こうした繰り返しの作業は、コンピューターやロボットにとって得意なものですが、人間はやがて疲れたり飽きたりしてしまいます。なるべく効率化を図りたいものです。

たとえば、会社の会議や、PTAの会議の後に、5枚の資料を印刷して綴じて、関係者30人に郵送するといった作業があるとします。この流れをフローチャートに書いてみましょう。

机の上に資料の紙をページごとに重ねて並べる
↓
上から1枚ずつ資料を取って重ねる
↓
5枚重ねたらホチキスで綴じる
↓
封筒に入れる
↓
封筒の口を閉じる
↓
宛名シールを貼る
↓
切手を貼る
↓
上から1枚ずつ資料を取って重ねる
↓
5枚重ねたらホチキスで綴じる
↓
封筒に入れる
↓
封筒の口を閉じる
↓
宛名シールを貼る
↓
切手を貼る
↓
～同じ作業をもう28回繰り返す～
↓
封筒をまとめて郵便局に持って行く

実は、フローチャートには、繰り返しを表す方法もあるので、使ってみましょう。

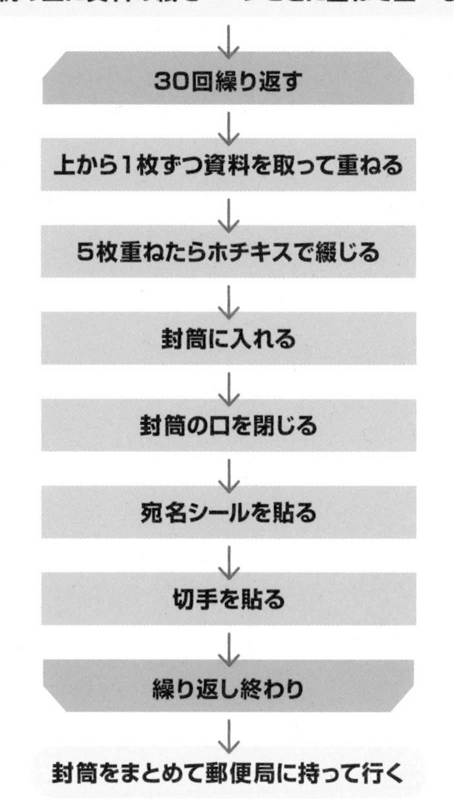

でも、実際にやってみると、この作業では効率が悪いと感じた人もいるかもしれませんね。

紙を重ねて綴じるまでと、封筒に入れて宛名シールや切手を貼るまでの2段階に分けてみましょう。

その手順を書き出してみると、こうなります。

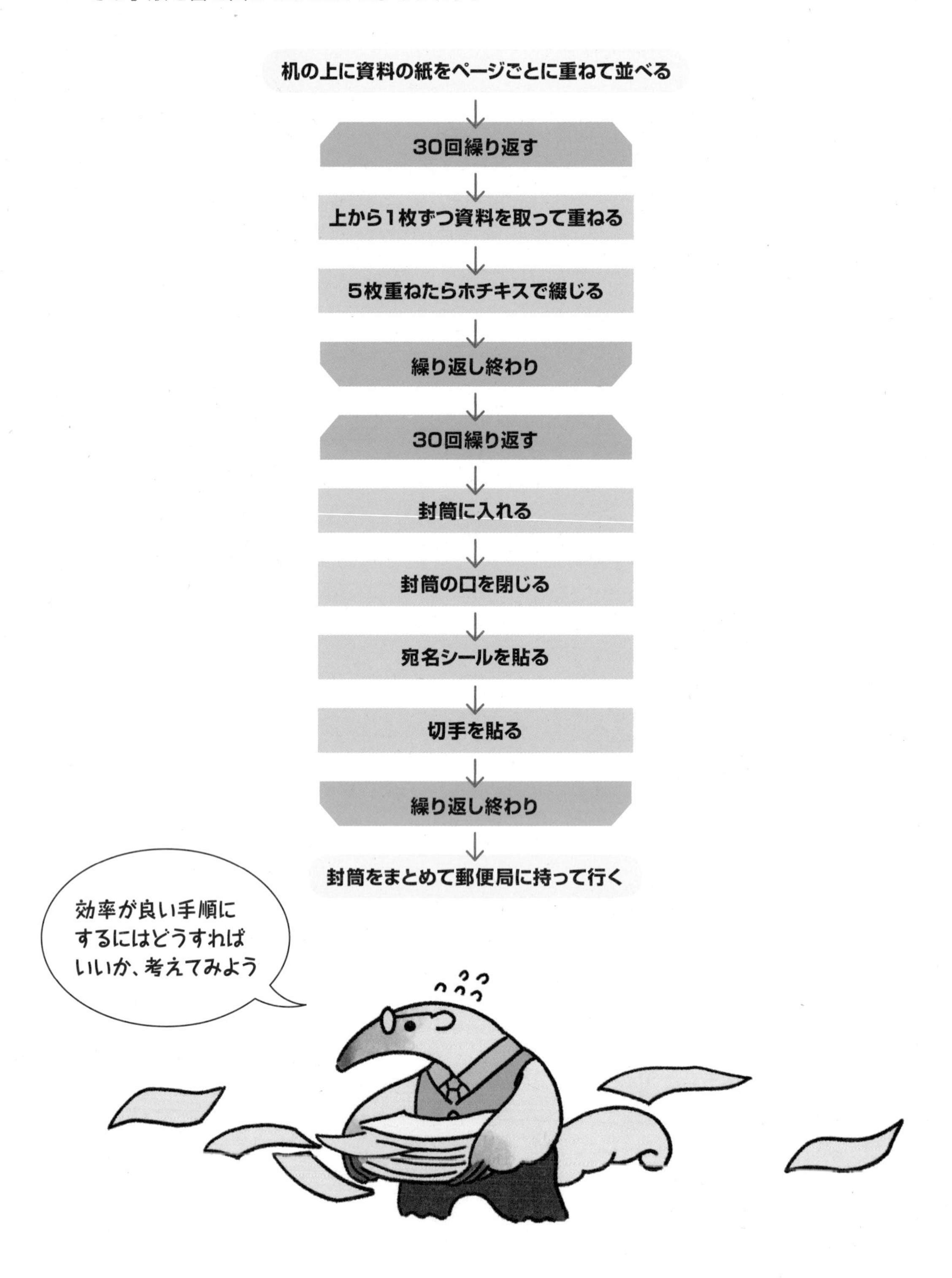

作業内容が近いものをまとめて実行したほうが、効率良く作業できそうです。

さらに、もし手伝ってくれる人が一人いれば、分担することでより効率化できます。その方法を書き出したのが、次のフローチャートです。

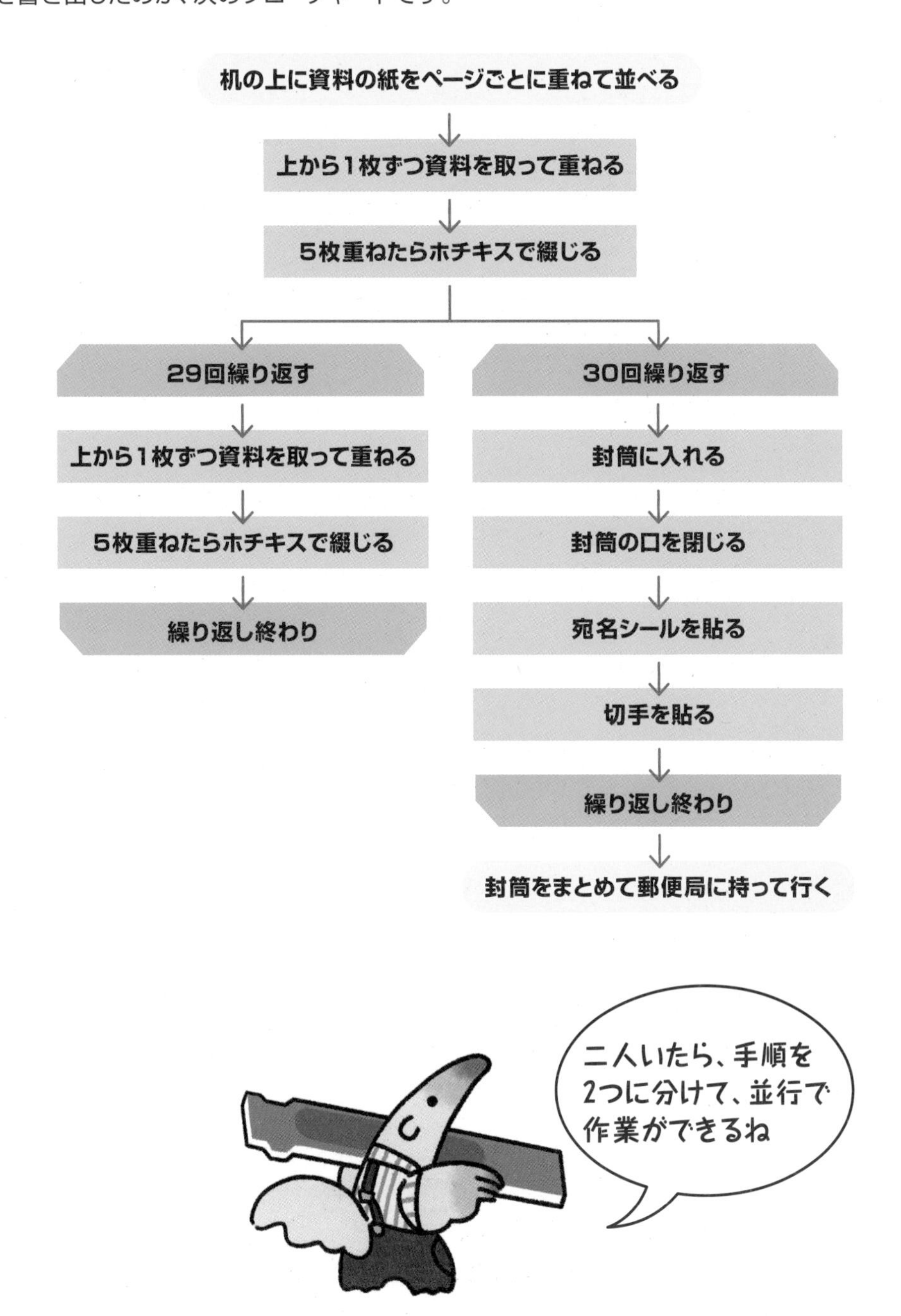

一人で作業するときに効率的な方法を考えること、複数人いるなら効率的に手分けする方法を考えること、いずれも「プログラミング的思考＝論理的思考」で、問題解決することが可能になります。

効率良く作業して、時間に余裕ができたら、封筒を出した後に、ひと休みする時間を作ることもできるでしょう。

状況や条件に応じてやるべきことを変える「分岐処理」

プログラミングで大切な考え方のうち、もう1つは、「分岐処理」です。

たとえば、朝出かけようとして窓の外を見ると、雨が降っているとします。そうすると、傘を持って出かけることを考えるでしょう。さらに、玄関のドアを開けてみると水たまりができているかもしれません。すると今度はレインブーツをはいて出かけることを考えるでしょう。

もし雨が降っているなら傘を持つ、そしてさらにもし水たまりができていたらレインブーツをはく、といったように「もし〜ならば」の条件によって、やることを分岐させることを条件分岐と言います。

プログラムの中でも、もし上ボタンが押されたらキャラクターを上に動かす、敵キャラの攻撃に当たったらライフが1つ減るのようなプログラムを作ることがあります。

例として、雨の日の分岐処理をフローチャートに書いてみましょう。雨が降っていたら、傘を持って出かけます。

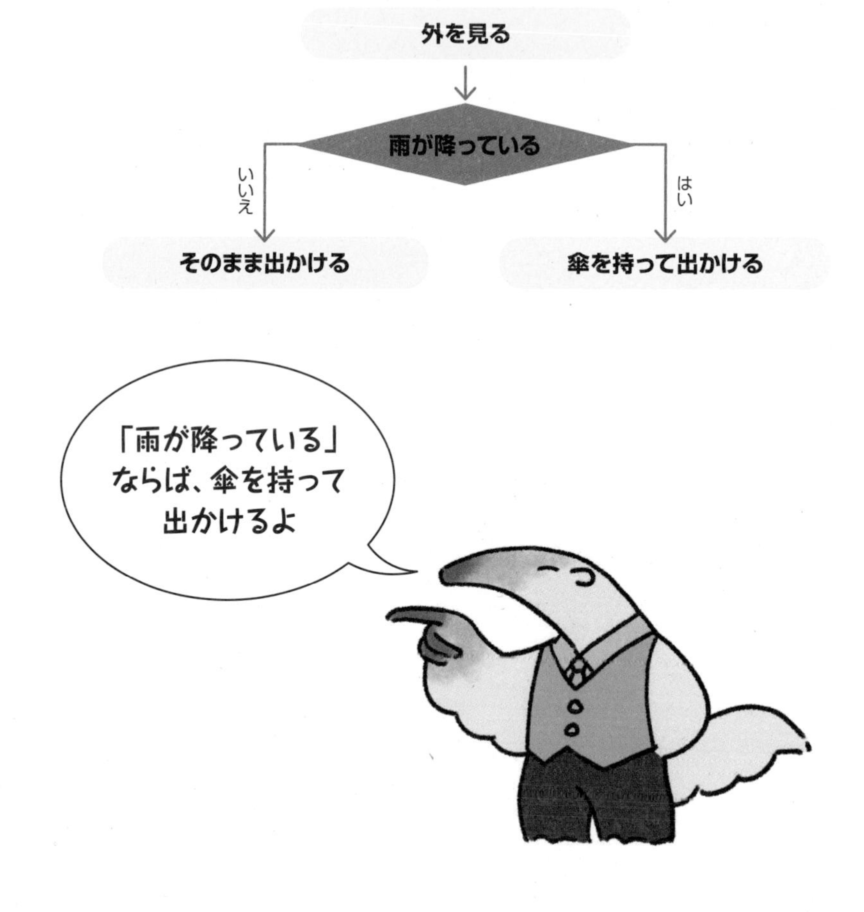

雨が降っていて、なおかつ水たまりができていたら、レインブーツをはいて傘を持って出かけます。

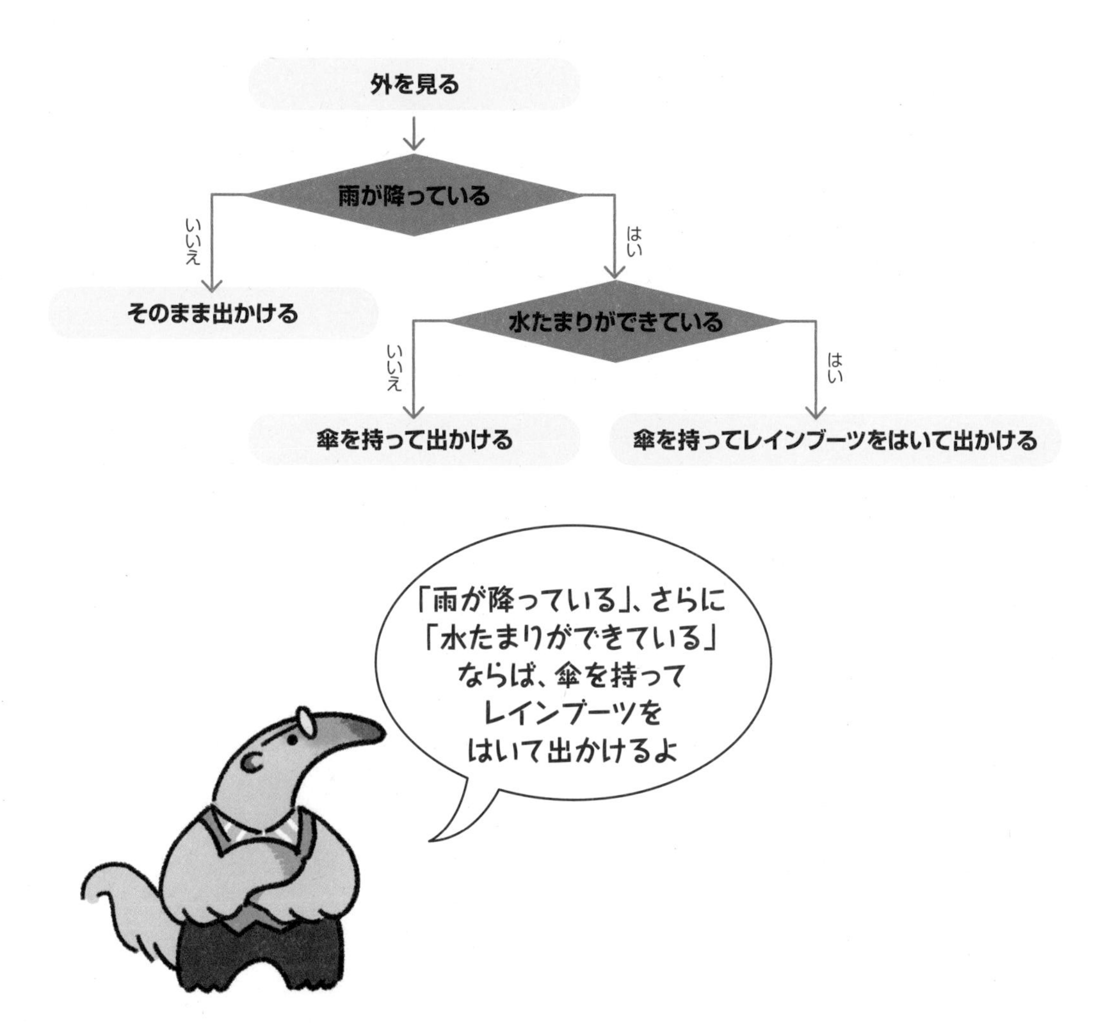

ふだんの生活でも、さまざまな場面で分岐処理を使います。

「回覧板を届けに行って、もし不在ならポストに入れる」「見積書を提示してもし断られたら、10%の値引きを提案する」などです。さまざまな可能性を考えて条件分岐を用意しておくことで、効率的な処理を実行したり、トラブルを未然に防いだりすることができます。

複数の作業を並行して進める「並列処理」

順次、繰返、分岐の3つのプログラムの考え方に加えて、もう1つ覚えておくと良いのが、並列処理（並行処理）です。先ほどの繰り返し処理の中にも、2人で並行して作業を分担する例がありました。このように2つの処理を並行するプログラムのことを並列処理と言います。

たとえば、順次処理で説明したカレーを作る例に、サラダを作る手順を加えてみましょう。順次処理で、カレーが完成した後にサラダを作るとその分追加で時間がかかるし、その間にカレーが冷めてしまうかもしれません。

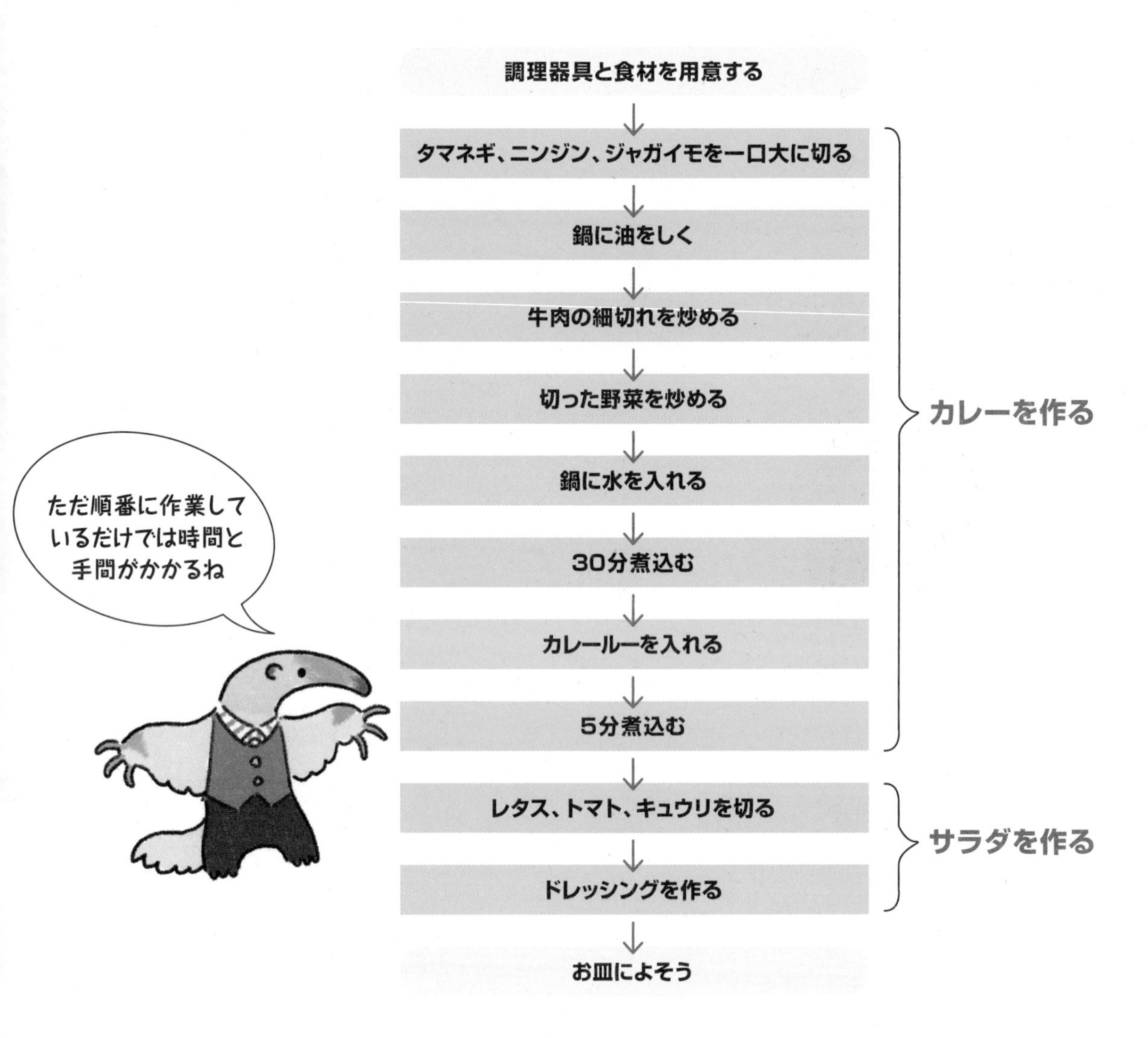

行程を見直して、鍋を火にかけている30分の間に、並行してサラダを用意すると効率が良さそうですね。

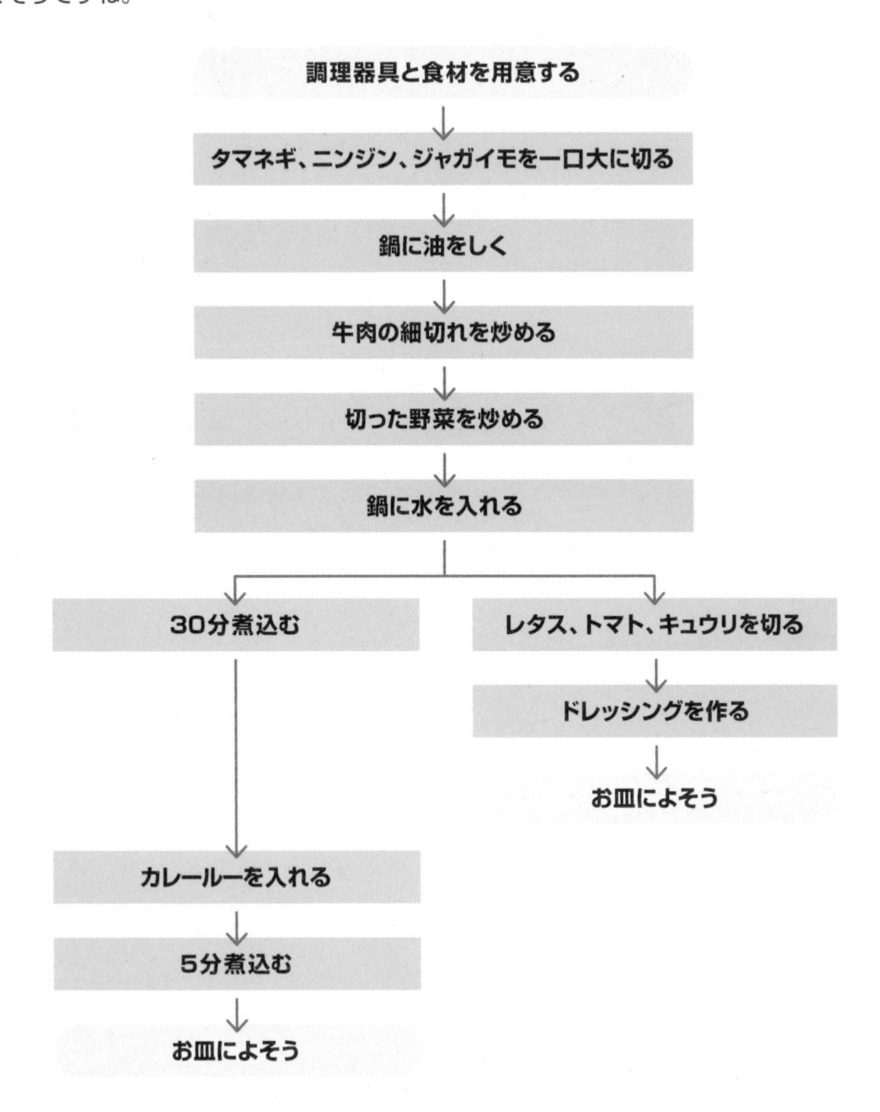

6 プログラミングの考え方を日常生活に当てはめる

プログラムの流れを考えるときに使うフローチャートを、仕事や料理など日常生活のさまざまな行動に当てはめてみました。このように書き出してみると、自分が毎日やっていること、これからやるべきことを見える化すると、より効率的な方法を考えるきっかけになるはずです。また、グループで作業するなら、分担方法を検討することにも役立つでしょう。

プログラミングでは、まずどのようなプログラムを作ろうかとイメージします。そして、具体的に実現するための方法を論理的に考えます。創造性と論理的思考、問題解決のトレーニングとしても最適なのです。2章からは、Scratchを使って、実際にプログラミングに挑戦していきます。

プログラムの順番を書き出すフローチャート

本書では、プログラムの流れを表すためにフローチャートを書きます。
「開始と終了」「処理」「繰返処理」「分岐処理」などの記号に決まりがあるわけではありませんが、本書では分かりやすくなるように、次の図形を使っています。

●「開始」と「終わり」

●「処理」

●処理の流れ

↓

●「繰り返し」

●条件分岐

無料のScratchを使う準備をしよう

誰でも無料で使えるプログラミングツールの
「Scratch」でプログラムを始めるための準備をしましょう。
Scratchのプログラミングは、WindowsやMacのパソコン、
iPadやAndroidのタブレットで作ることができます。
まずはScratchのページにアクセスし、ユーザー登録を行います。
Scratchの画面を確認したら、キャラクターを動かしてみましょう。

1 Scratchを始めるのに必要なのは？

Scratchを始めるには、パソコンまたはタブレットが必要です。最新の「Scratch 3.0」なら、WindowsやMacのパソコンだけでなく、iPadやAndroidのタブレットでもプログラムを作ることができます。スマートフォンは画面が小さいので、プログラムを作るのには向いていません。

パソコンやタブレットがあって、さらにインターネットにつながる場所にいるなら、いつでも誰でも無料でScratchを使い始められます。新しくアプリやソフトをインストールする必要はなく、いつもインターネットを見るときに使っているブラウザーアプリやブラウザーソフトを使います。

それぞれ、ホーム画面やスタートメニューからアプリを起動しましょう。

●Windowsパソコンの場合

「Microsoft Edge」や「Google Chrome」などが使えます。

●Macパソコンの場合

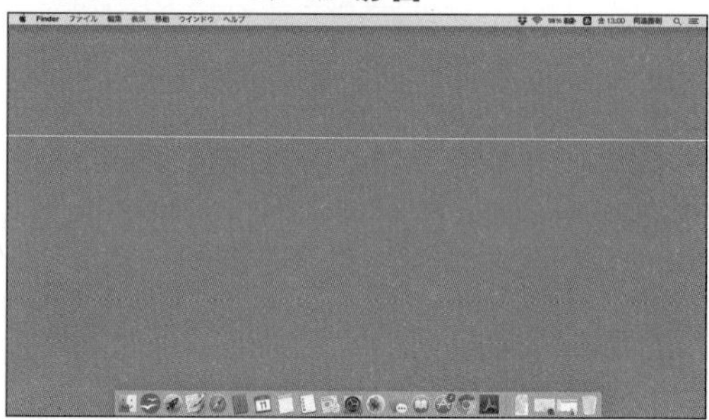

「Safari」や「Google Chrome」などが使えます。

●iPadの場合

「Safari」などが使えます。

●Androidタブレットの場合

「Google Chrome」などが使えます。

MEMO

対応しているブラウザー

「Scratch 3.0 」で使えるブラウザーの種類を確認しておきましょう。

●パソコン

- Microsoft Edge 15以降
- Google Chrome 63以降
- Mozilla Firefox 57以降
- Sarari 11以降

●タブレット

- Google Chrome 62以降（Android 6以降）
- Sarari 11以降（iOS 11以降）a

2 Scratchのホームページにアクセスしよう

ブラウザーアプリやブラウザーソフトを起動したら、Scratchのホームページにアクセスしましょう。下に書かれているホームページのURLを入力するか、QRコードを読み取ってください。

● URL　https://scratch.mit.edu/

● QRコード

● Scratchのホームページ

3 「ユーザー登録」をしよう

Scratchを初めて利用するときは、「ユーザー登録」をしましょう。作りかけのプログラムを保存しておいて、いつでも続きの作業ができるようになります。

ユーザー登録すると、作ったプログラムを友だちに見せることもできます。

ユーザー登録をせずに使うこともできますが、せっかく作ったプログラムが失われないように、ユーザー登録して管理できるようにしておきましょう。

1 「Scratchに参加しよう」をクリックします。

●「ユーザー名」と「パスワード」を入力する

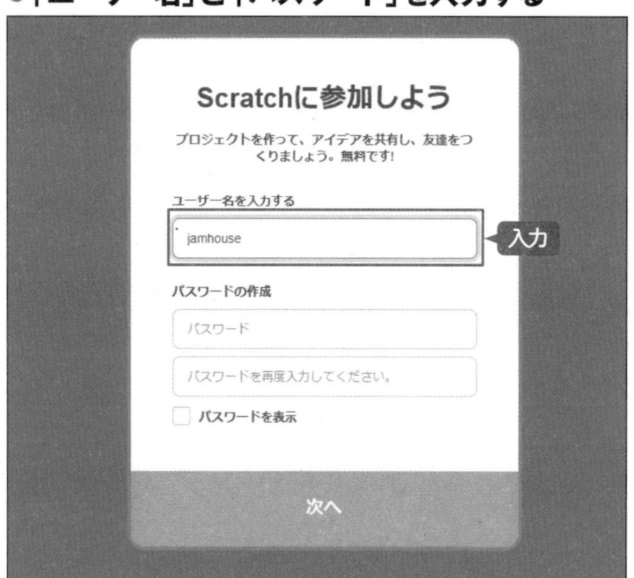

2 「ユーザー名を入力する」に自分が考えたユーザー名を入力します。

MEMO

本名を入力しないようにしましょう。

MEMO

ユーザー名は半角の英数字で入力します。他の人からも見ることができるので、本名や誰かが特定できるようなニックネーム、住所や生年月日などは入力しないようにしましょう。

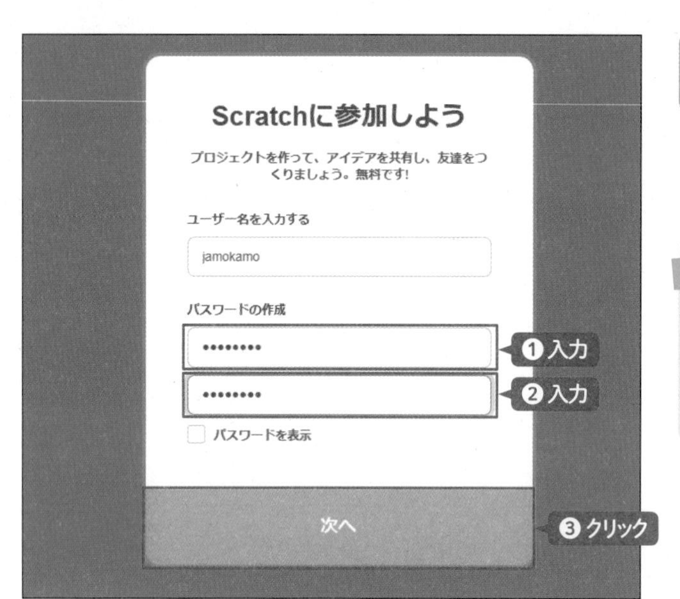

3 「パスワードの作成」の上の枠に6文字以上のパスワードを入力します。下の枠に、確認のため、もう一度同じパスワードを入力し、「次へ」をクリックします。

MEMO

パスワードは忘れないようにしましょう。また、絶対に他の人に教えないよう気をつけてください。

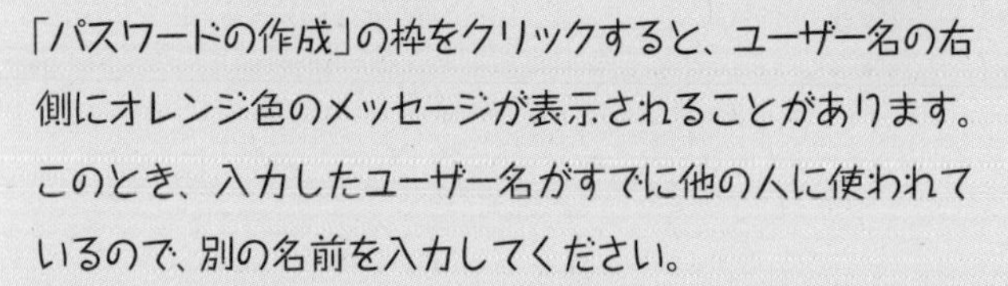

すでに名前が使われているとき

「パスワードの作成」の枠をクリックすると、ユーザー名の右側にオレンジ色のメッセージが表示されることがあります。このとき、入力したユーザー名がすでに他の人に使われているので、別の名前を入力してください。

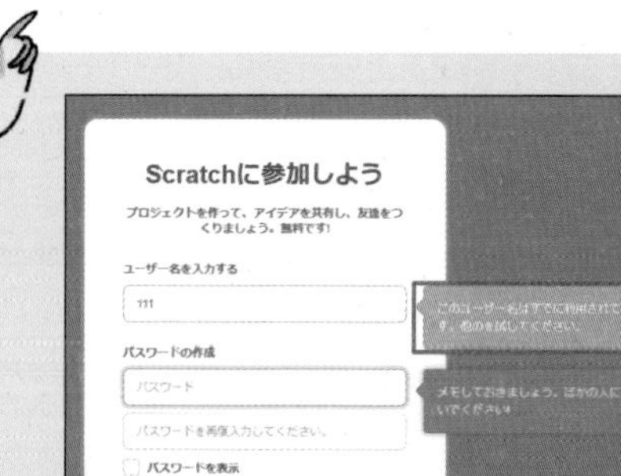

● 国や生まれた年、月、性別などを選ぶ

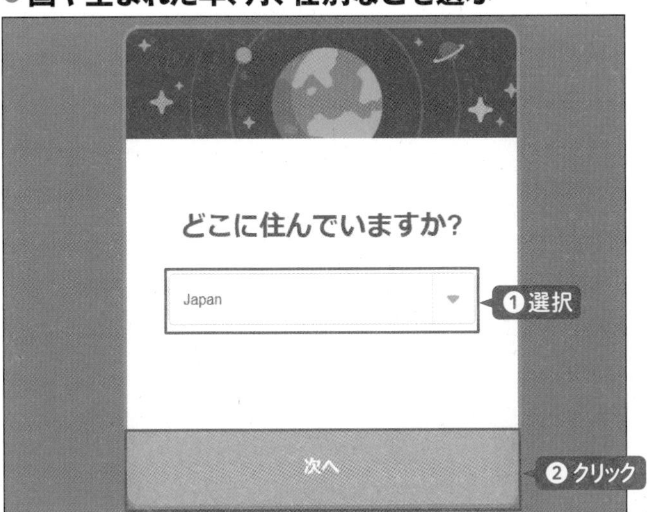

4 「国または地域を選ぶ」をクリックして、表示されたリストから「Japan」を選択し、「次へ」をクリックします。

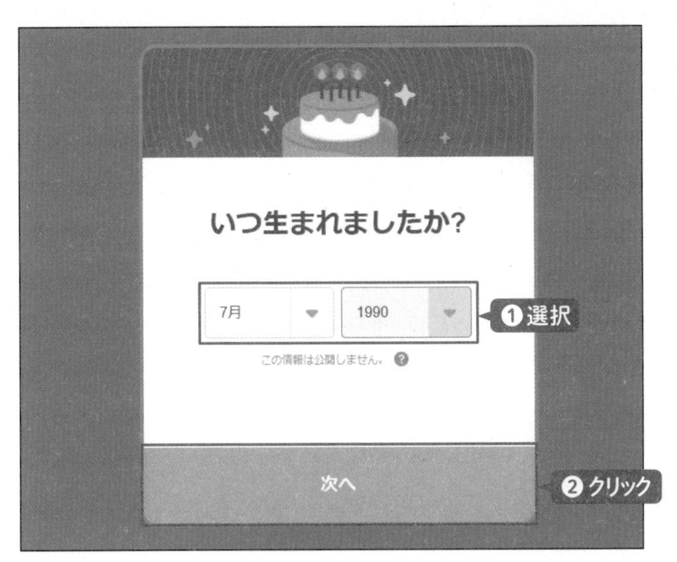

5 「月」と「年」をそれぞれクリックして、自分が生まれた月と年を選択し、「次へ」をクリックします。

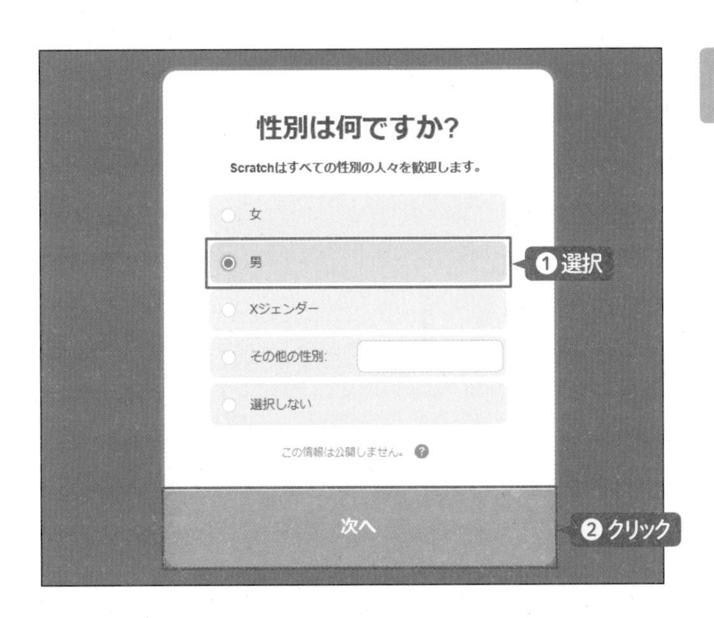

6 「性別」を選択し、「次へ」をクリックします。

● メールアドレスを入力する

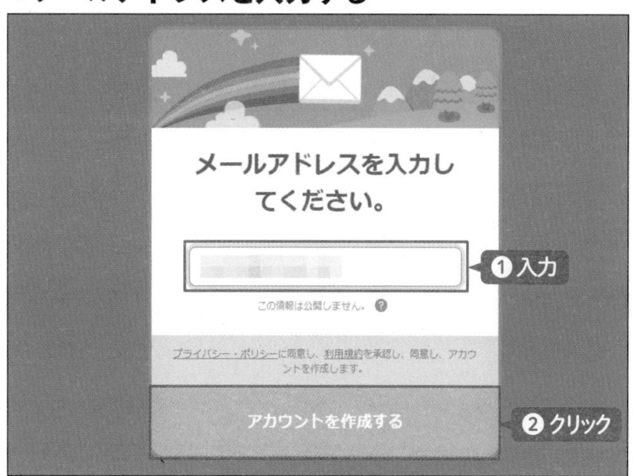

7 メールアドレスを入力し、「アカウントを作成する」をクリックします。

MEMO

1つのメールアドレスで、二人以上のユーザーを登録することもできます。

8 「Scratchへようこそ！」のページが表示されました。「はじめよう」をクリックします。

● アカウントを認証する

9 登録したメールアドレス宛てにScratchチームからメールが届きます。内容を確認したら、「アカウントを認証する」をクリックします。

10 これで、Scratchで作ったプログラムを保存して、友だちに見せることもできるようになります。

4 「作る」画面を表示しよう

Scratchの「作る」画面を表示して、それぞれの名前や、役割を確認しておきましょう。

Scratchのホームページで、「作る」をクリックします。

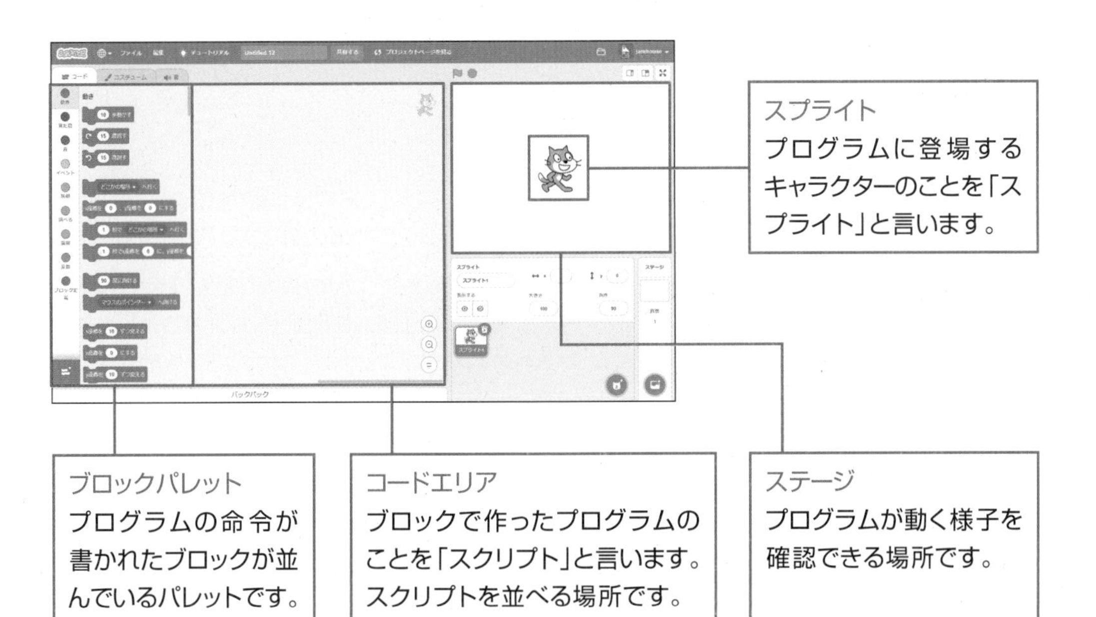

スプライト
プログラムに登場するキャラクターのことを「スプライト」と言います。

ブロックパレット
プログラムの命令が書かれたブロックが並んでいるパレットです。

コードエリア
ブロックで作ったプログラムのことを「スクリプト」と言います。スクリプトを並べる場所です。

ステージ
プログラムが動く様子を確認できる場所です。

日本語の表示にする

もし、表示されている言葉が日本語以外の場合は、地球のマークをクリックして「日本語」を選んで、日本語の表示に変えてください。

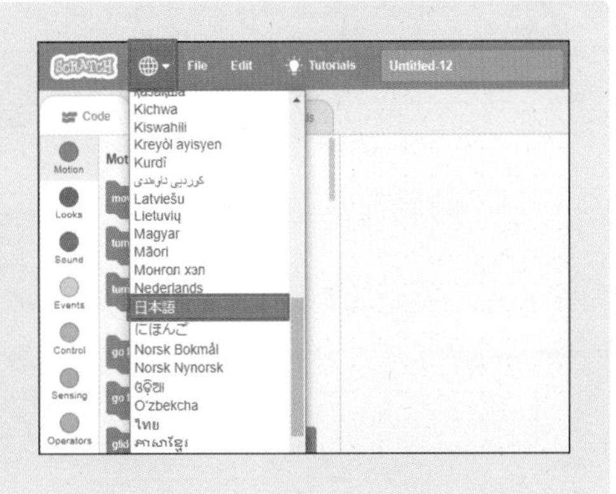

5 Scratchの基本を知ろう

Scratchでは、ブロックパレットにあるブロックをドラッグして、コードエリアに並べることでプログラムを作ります。まずは、基本の操作を確認しましょう。

● プログラムを始めるブロックを選ぶ

1 プログラムを始めるときには「緑の旗が押されたとき」ブロックを選びます。このブロックを選ぶにはまず、「イベント」をクリックします。

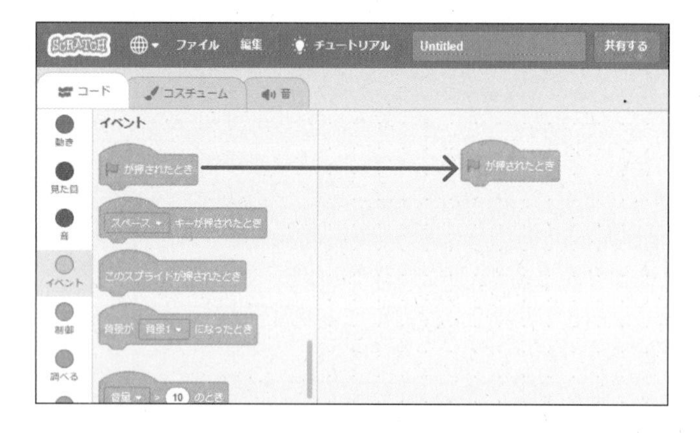

2 「イベント」のブロックが表示されます。画面の真ん中のコードエリアまで、「緑の旗が押されたとき」ブロックをドラッグします。

● ブロックをつなげてプログラムを作る

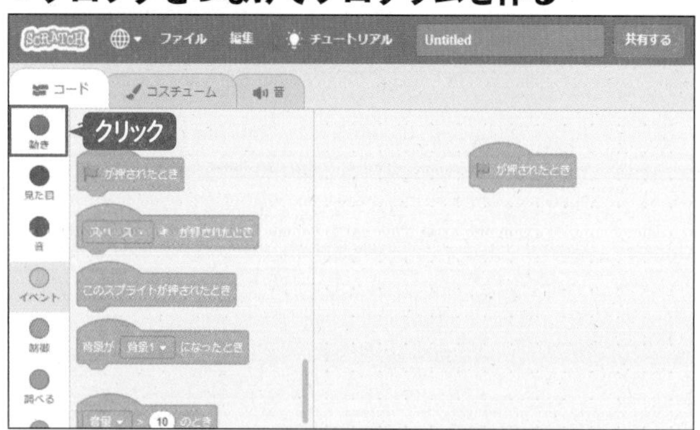

3 続けて、動きのブロックをつなげてみます。まず「動き」をクリックします。

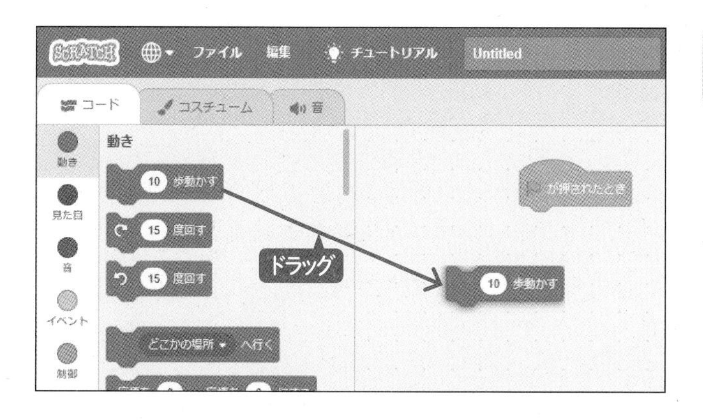

4 「動き」のブロックが表示されます。「10歩動かす」ブロックをドラッグして、「緑の旗が押されたとき」ブロックの下の方に動かします。

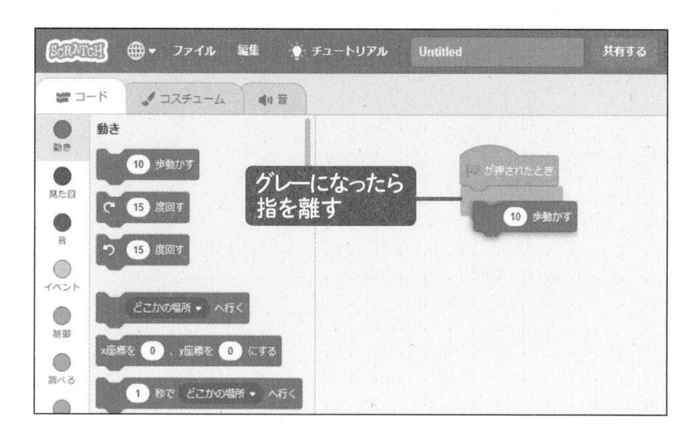

5 「緑の旗が押されたとき」ブロックに近づけていき、2つのブロックの間がグレーになったらマウスボタンから指を離します。

6 ブロックがくっついたら、2つの命令がつながったことになります。

● プログラムを動かす

7 画面上の「緑の旗」をクリックすると、ステージに表示されているネコのキャラクターが少しだけ右に動きます。

MEMO

最初に表示されているネコは、「Scratchキャット」と呼ばれています。

● 文字や数字を入力する

8 動きはほんのちょっとであまりよく分からないかもしれないので、今度はもっと大きく動かしてみましょう。「10歩動かす」ブロックの「10」の部分をクリックします。

9 「100」と入力し、「Enter」キーを押します。

MEMO

画面上の「緑の旗」をクリックすると、ステージに表示されているネコのキャラクターが100歩分右に動きます。

つなげたブロックを外す

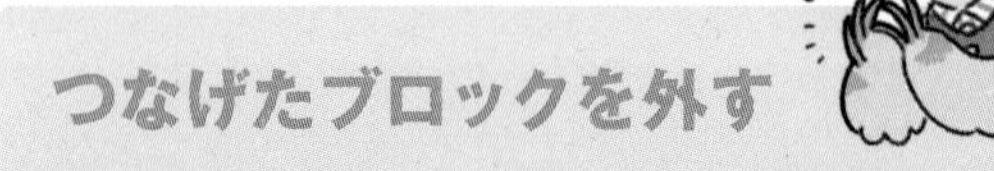

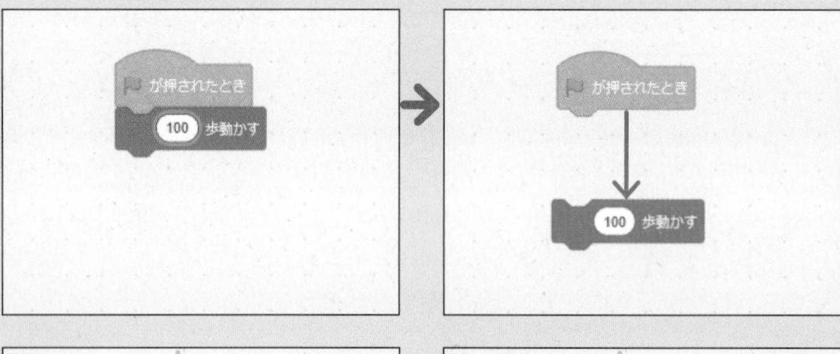

コードエリアに追加してつなげたブロックは、下の方にドラッグして動かすと、外すことができます。

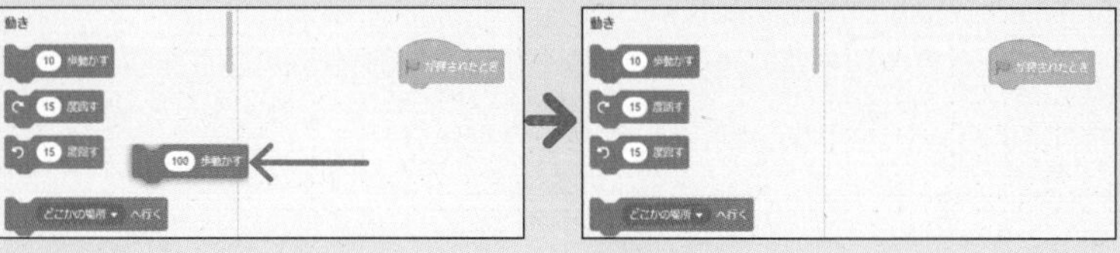

ブロックを消したい場合は、ブロックパレットのエリアまでドラッグします。

6 プログラムの「保存」と「読み込み」の方法

作ったプログラムのデータは、保存しておくことができます。後から読み込んで続きの作業をしたり、友だちに公開することもできます。

● プログラムに名前を付ける

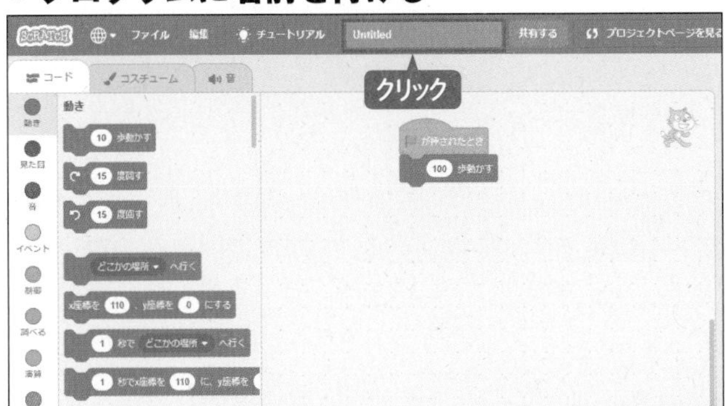

1 プログラムに名前を付けます。画面上の「Untitled」と表示されている場所をクリックします。

2 プログラムの名前を入力します。ここでは「練習」としています。

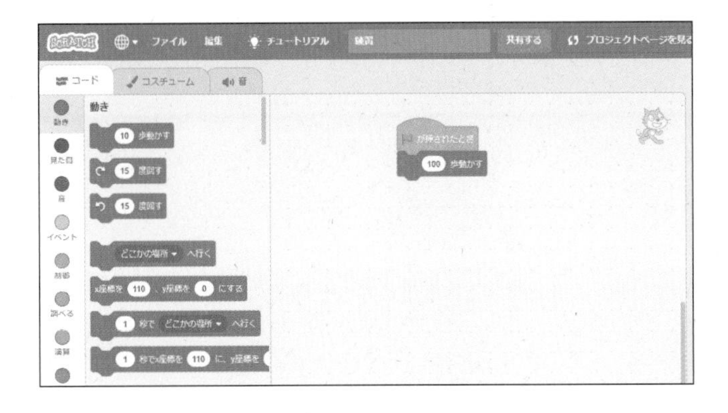

3 入力できたら「Enter」キーを押して確定します。

● プログラムを保存する

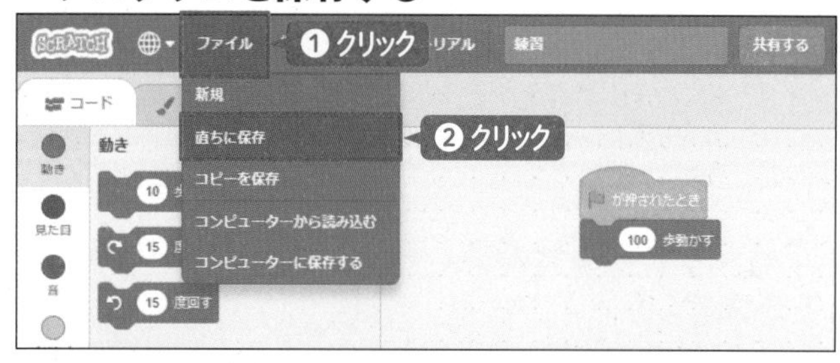

1 作ったプログラムを保存するには、「ファイル」をクリックして、表示されたメニューから「直ちに保存」をクリックします。

MEMO
「コンピューターに保存する」を選択して、パソコンの中に保存することもできます。iPadの場合は、データの保存場所はインターネット上だけになります（2021年6月30日現在）。

MEMO
新しく一からプログラムを作るときは、「新規」を選びます。もし、今のプログラムを改造して、元のプログラムも、改造したプログラムもどちらも保存しておきたいときは、「コピーを保存」を選んで、別の名前で保存しておきましょう。

● 保存したプログラムを読み込む

1 これまでに保存したプログラムを読み込んで開きたいときは、画面の右上にあるフォルダーのマークをクリックします。

2 プログラムが一覧表示されたら、「中を見る」をクリックしましょう。

MEMO
プログラムは、ときどき自動保存されます。一度も保存していない場合は、「Untitled1」「Untitled2」……のような名前が付けられています。

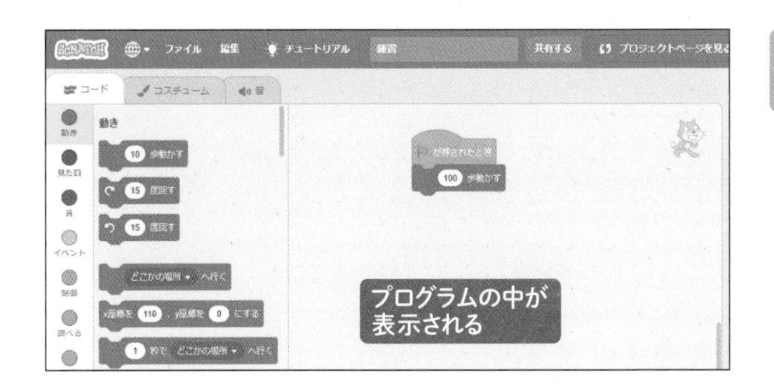

3 保存しておいたプログラムの中が表示されるので、プログラムの続きを作ったり、修正したりすることができます。

ブロックの表示サイズを変える

「コードエリア」に並んでいるブロックの表示は、拡大したり縮小したりできます。よく見えないときは拡大表示し、たくさん並んだブロックの全体を見たいときには縮小してみましょう。コードエリアの右下にあるアイコンをクリックすると、表示のサイズを変えられます。

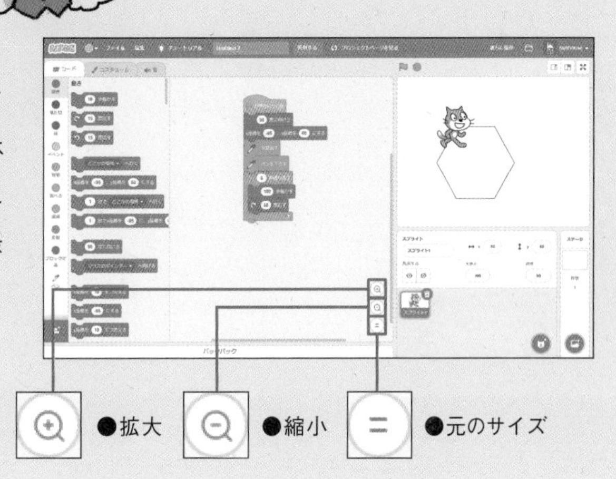

●拡大 ●縮小 ●元のサイズ

コードエリアを広げたりステージだけの表示にする

ステージの表示を小さくしてコードエリアの幅を広げたり、ステージだけの表示に変えることができます。右上に3つ並んでいるアイコンを順にクリックして試してみましょう。

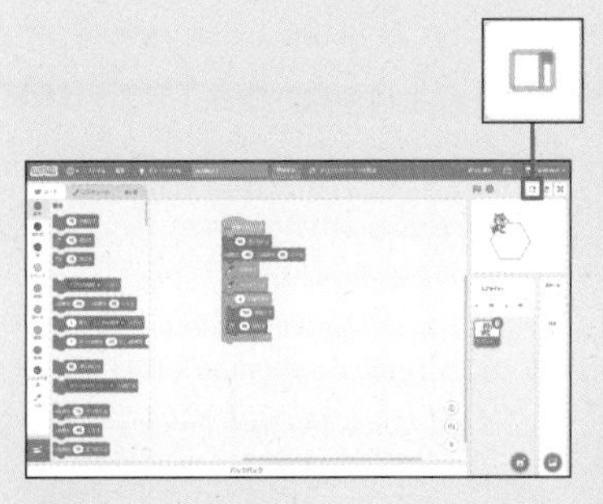

●コードエリア拡大
コードエリアが広がり、ステージが小さくなります。

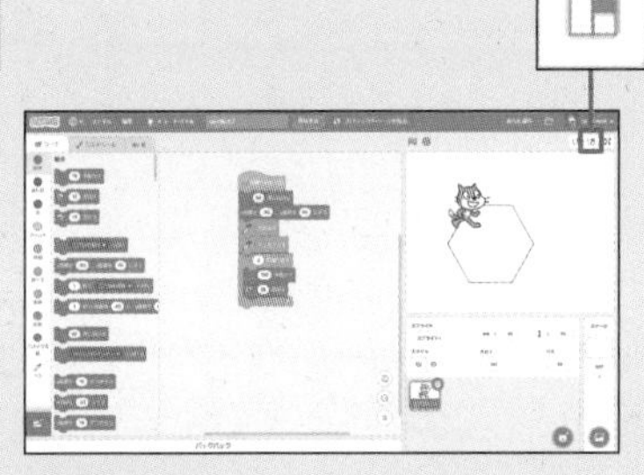

●元の画面
元の表示画面。

●ステージ拡大
ステージを画面いっぱいに表示。右上の⛶をクリックすると、元の表示に戻ります。

7 ネコを歩かせたり、しゃべらせたりしてみよう

30ページでは、ネコを10歩動かしたり、100歩動かしたりしました。今度はさらに、動いた後であいさつしたり、鳴き声を出したりするようにしてみましょう。

50歩動いた後で「おはよう」とあいさつする

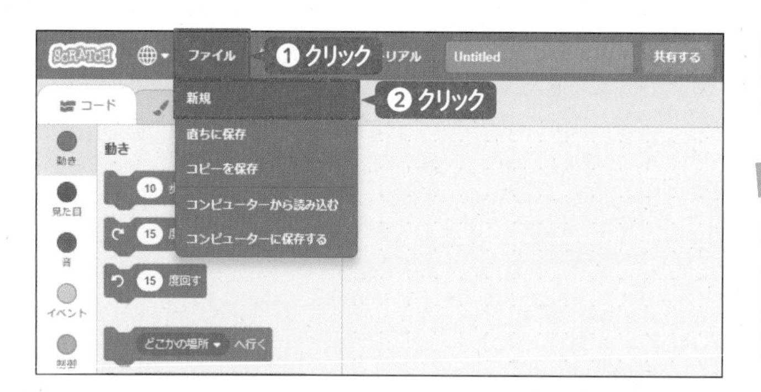

1 「ファイル」をクリックして、「新規」をクリックします。

MEMO

作りかけのプログラムがある場合、「新規」を選ぶ前に、保存しておきましょう（34ページ参照）。

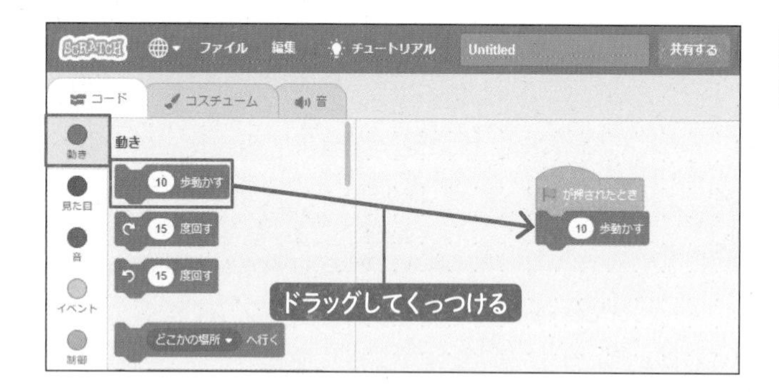

2 「緑の旗が押されたとき」ブロックの下に「動き」の「10歩動かす」ブロックをつなげます。

3 「10歩動かす」の「10」の所をクリックして「50」と入力し、Enterキーを押します。

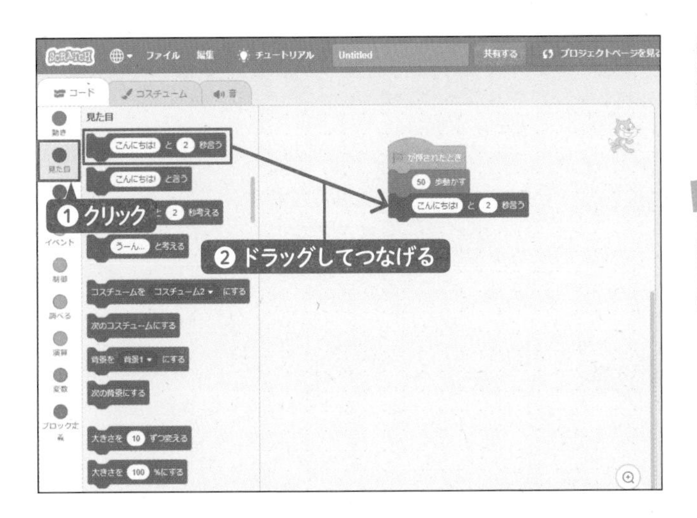

4 「見た目」をクリックし、「(こんにちは!)と2秒言う」ブロックを、一番下につなげます。

MEMO

スプライトにセリフを言わせるブロックは「見た目」に入っています。

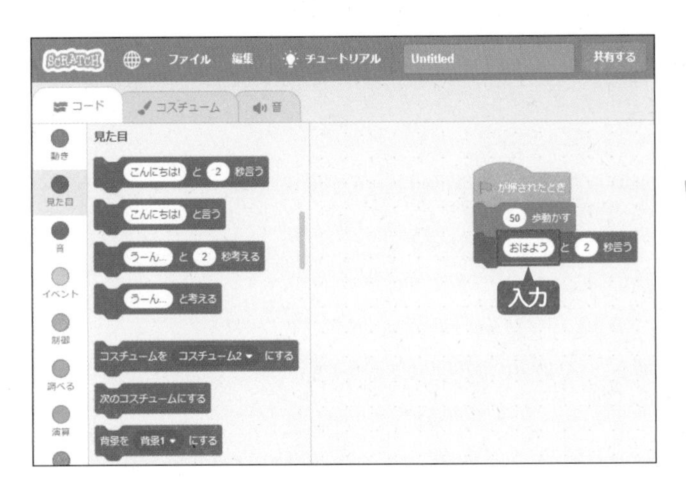

5 「こんにちは!」の部分をクリックして「おはよう」と入力し、Enter キーを押します。

MEMO

自由に言葉を入力できるので、いろいろな言葉をしゃべらせることができます。

6 画面上の「緑の旗」をクリックして、動きを確認してみましょう。ネコは50歩動いた後で、「おはよう」とあいさつしましたか?

「ニャー」と鳴いた後で、50歩動いて、「おはよう」とあいさつする

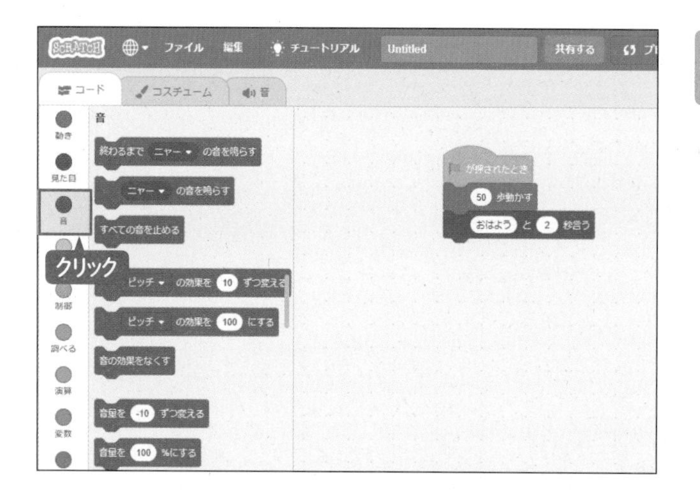

1 今度は、今作ったプログラムに、音を鳴らすブロックを追加してみます。「音」をクリックします。

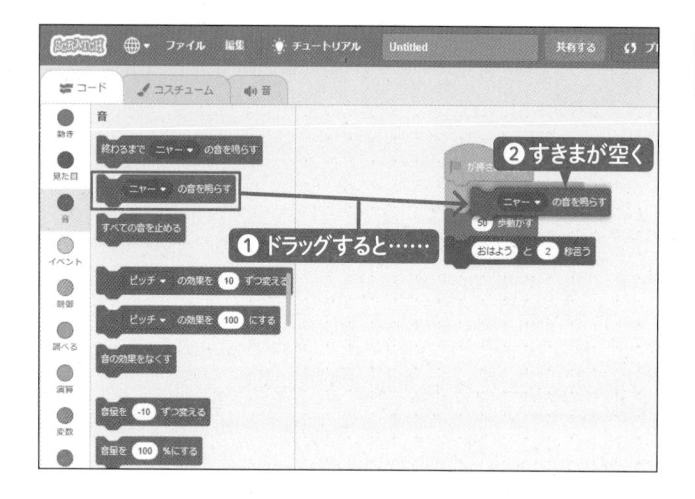

2 「ニャーの音を鳴らす」ブロックをドラッグして「緑の旗が押されたとき」と「50歩動かす」の間の位置まで動かすと、ブロックにすきまが空きます。

3 ここでマウスボタンから指を離すと、ブロックが間に入ります。

ブロックを追加する方法

ブロックを追加するには、もう1つ方法があります。「50歩動かす」ブロックをいったん下の方にドラッグして、ブロックを外し、上のブロックに続けて「ニャーの音を鳴らす」ブロックを追加しましょう。最初に下に動かしたブロックを、「ニャーの音を鳴らす」ブロックの下につなげたら完成です。

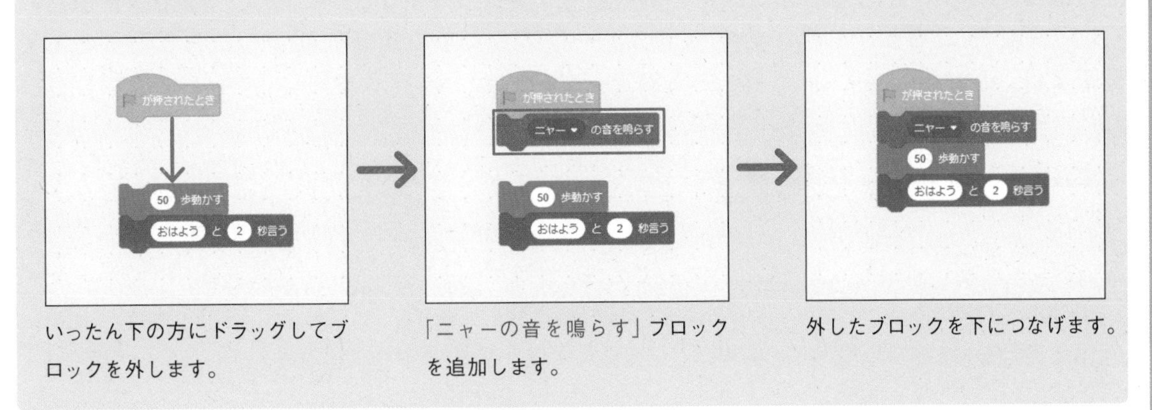

いったん下の方にドラッグしてブロックを外します。

「ニャーの音を鳴らす」ブロックを追加します。

外したブロックを下につなげます。

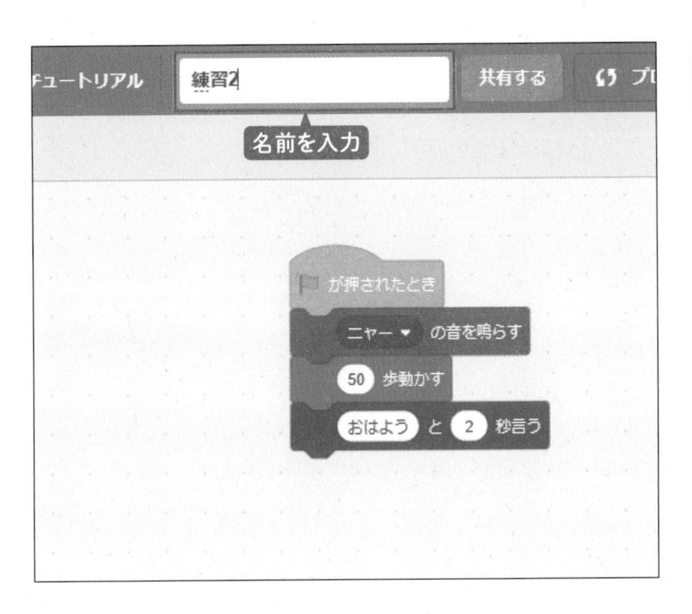

4 ここまで作ったデータを保存しておきましょう。プログラムに名前を付けます。ここでは「練習2」という名前を付けています。

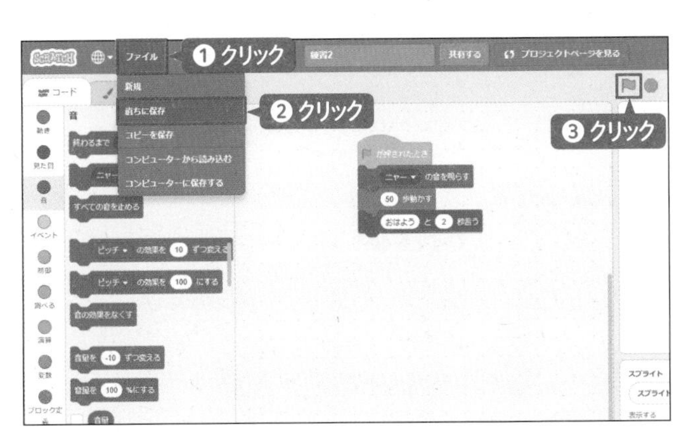

5 「ファイル」メニューをクリックして、「直ちに保存」をクリックします。保存したら、画面上の「緑の旗」をクリックして、動きを確認しましょう。ネコは「ニャー」と鳴いて、50歩進んで「おはよう」とあいさつしましたか？

8 キャラクターや背景の絵を変えよう

Scratchの中で動くキャラクターのことを「スプライト」といいます。最初に表示されているのはネコですが、ほかのキャラクターを選んだり、自分で用意したりすることもできます。

キャラクターを変える

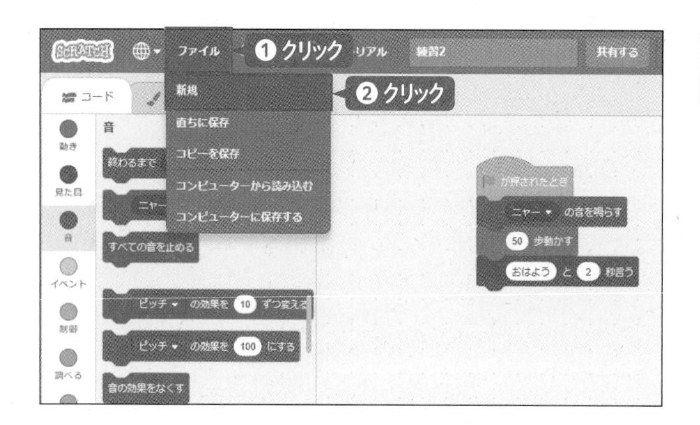

1 新しくプログラムを作ります。「ファイル」メニューをクリックして「新規」をクリックします。

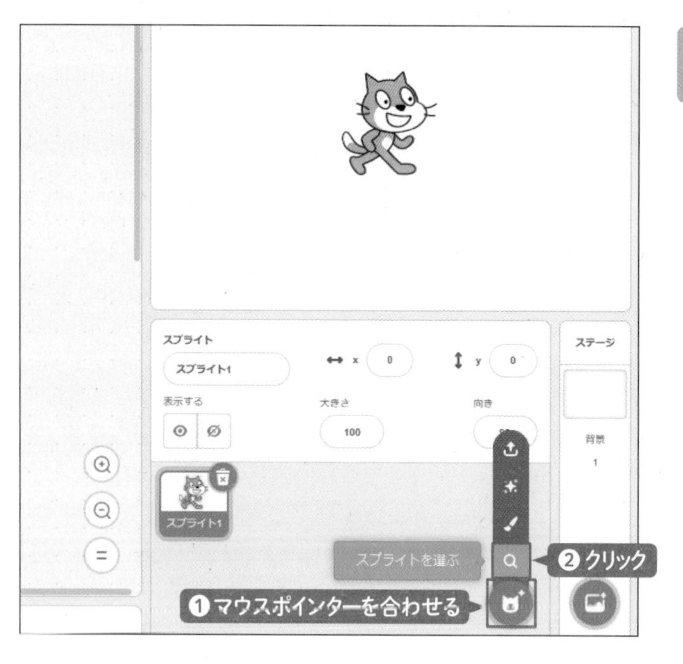

2 新しい画面が表示されます。画面の右下にある「スプライトを選ぶ」にマウスポインターを合わせ、表示されるメニューの「スプライトを選ぶ」をクリックします。

3 「スプライトを選ぶ」画面に、たくさんのスプライト（イラスト）が表示されます。ジャンルから選んでみましょう。ここでは「ファンタジー」をクリックします。

4 「ファンタジー」ジャンルのスプライト（イラスト）だけが表示されるので、キャラクターを選びます。ここでは「Pico Walking」をクリックします。

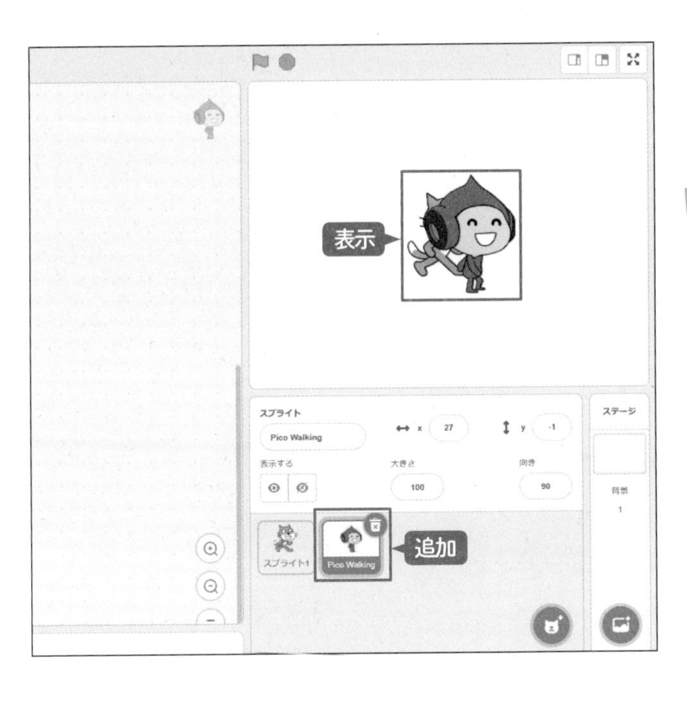

5 スプライトに「Pico Walking」が追加されました。ステージにも表示されます。

MEMO

画面右上のステージには、ネコと新しいキャラクターが重なって表示されています。

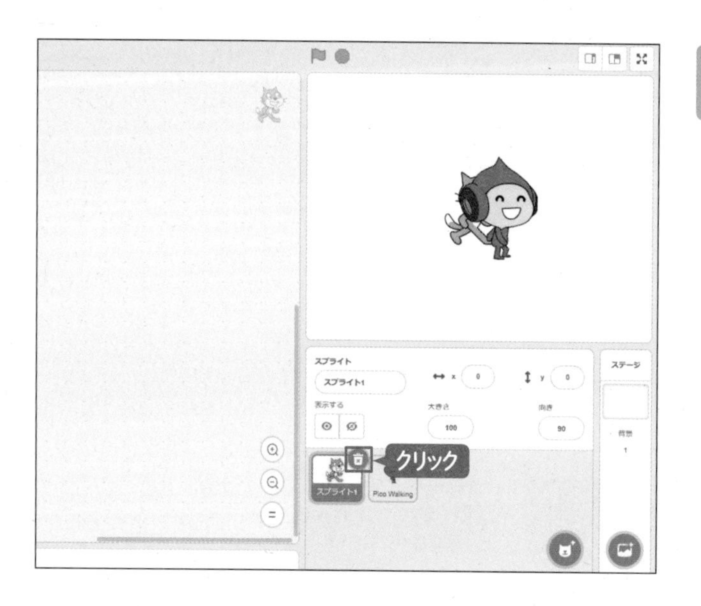

6 ネコのキャラクターはいったん消しておきます。ネコを選び、右上のゴミ箱のアイコンをクリックします。

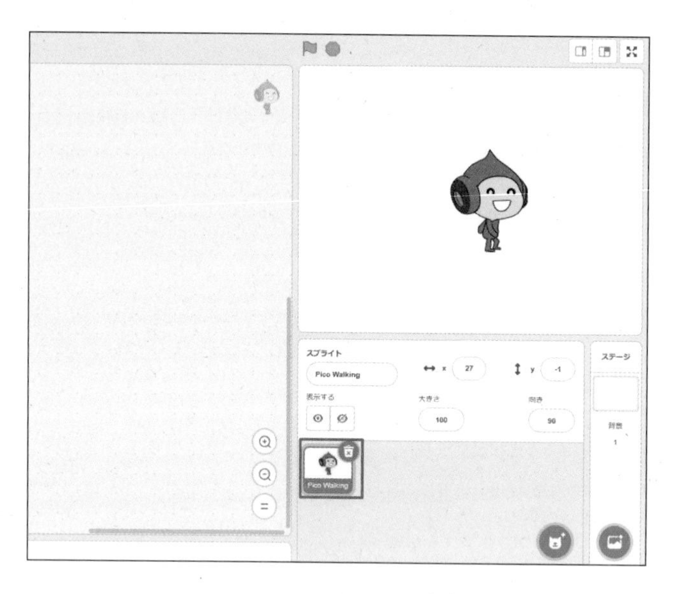

7 ネコが消えて、Pico Walkingだけが表示されます。

背景を表示する

1 続いて、ステージの背景に絵を表示してみましょう。画面の右下にある「背景を選ぶ」にマウスポインターを合わせ、表示されるメニューの「背景を選ぶ」をクリックします。

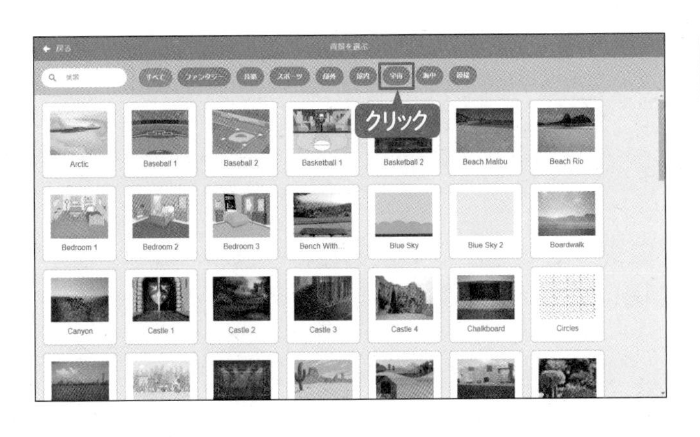

2 さまざまな背景が用意されています。ここでもジャンルから選びましょう。「宇宙」をクリックします。

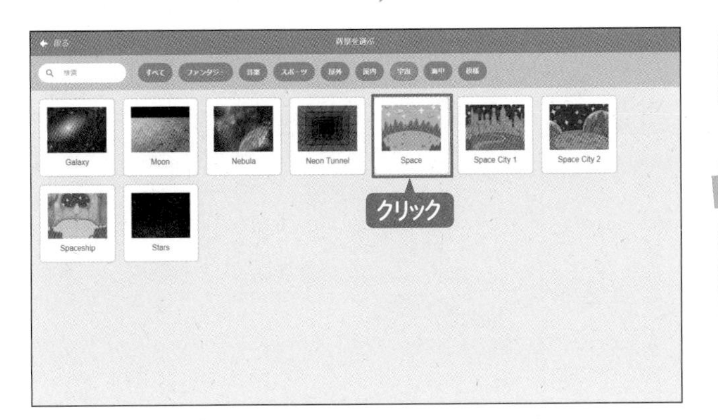

3 「宇宙」ジャンルの背景だけが表示されます。「Space」をクリックします。

MEMO

自分の好きな背景を選択してかまいません。

4 選んだ「Space」が追加されました。画面右上のステージにも、背景が表示されます。

9 代わる代わる足を出して キャラクターを歩かせよう

キャラクターを「100歩動かす」でプログラムを動かしてみると、今はすべるように横に動きます。今度は代わる代わるに足を出して歩いているように見える、アニメーションを作ってみましょう。

「コスチューム」を選ぶ

1 スプライトのキャラクターには、ポーズが何種類か用意されている場合があります。「コスチューム」をクリックすると、それぞれのポーズを見ることができます。

MEMO

さっき選んだ「Pico Walking」には、足を代わる代わるに出す4つのポーズが用意されています。これを切り替えることで、歩いているように見えるアニメーションを作ってみましょう！

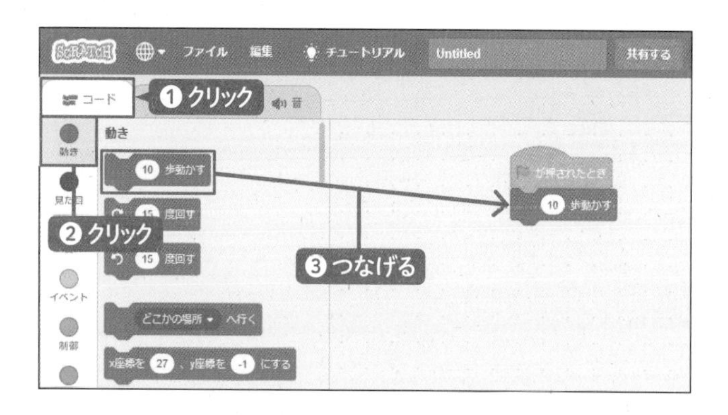

2 「コード」をクリックしてブロックを並べる画面に切り替え、「動き」をクリックしたら、「緑の旗が押されたとき」ブロックの下に「10歩動かす」ブロックをつなげます。

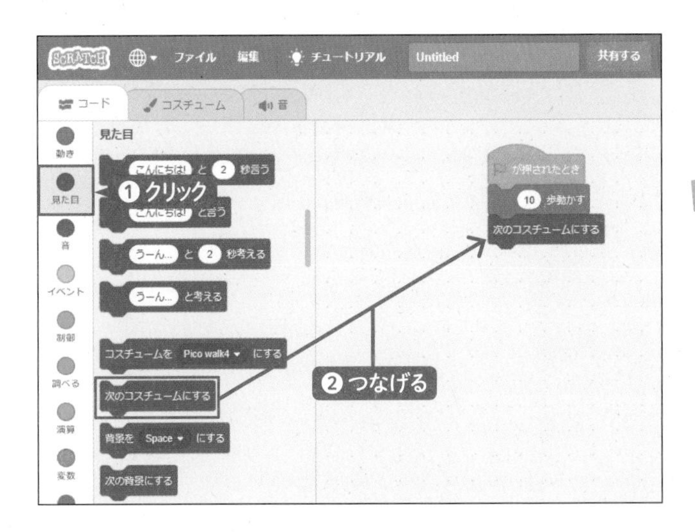

3

「見た目」をクリックし、「次のコスチュームにする」ブロックを「10歩動かす」ブロックの下につなげます。

MEMO

このブロックで、コスチュームを切り替えることができます。

4

ここまでで、いったんキャラクターの動きを確認しましょう。画面上の「緑の旗」をクリックすると、キャラクターが少し動いてポーズを変えます。

5

「緑の旗」を何度もクリックすると、そのたびにキャラクターが少し動いてポーズを変えます。

6 ステージに表示されているキャラクターが端まで動いたら、ドラッグして真ん中の位置に戻しておきましょう。

繰り返す命令を追加する

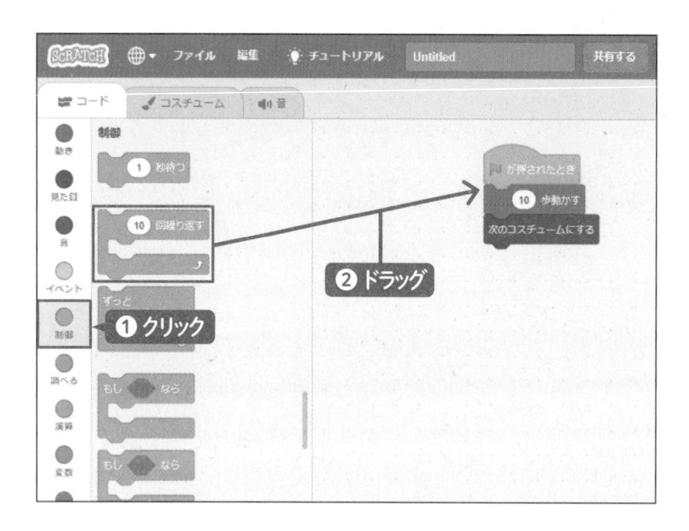

1 画面上の「緑の旗」を何度もクリックするのはめんどうなので、今度はプログラムの中に繰り返しの命令を入れてみます。「制御」をクリックし「10回繰り返す」ブロックをドラッグします。

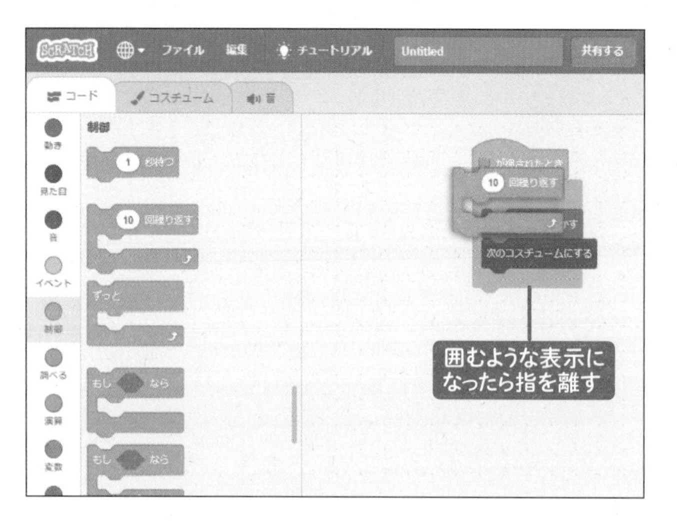

2 「10回繰り返す」ブロックを「緑の旗が押されたとき」ブロックと「10歩動かす」ブロックの間に動かします。「10回繰り返す」ブロックが2つのブロックを囲むような表示になったら、マウスボタンから指を離します。

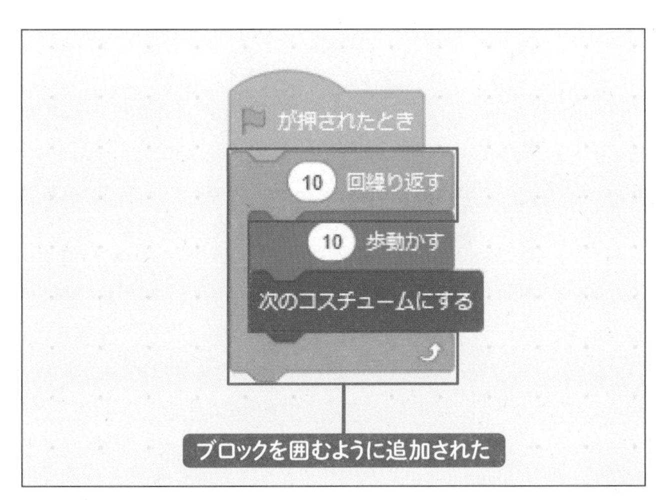

3 「10回繰り返す」ブロックが「10歩動かす」と「次のコスチュームにする」ブロックを囲みました。

うまくブロックが囲めないときは

2つのブロックをうまく囲むことができなくて、ブロックがはみ出してしまうことがあります。そんなときは、はみ出したブロックが間に入るようにブロックの下に動かして、マウスボタンから指を離します。はみ出し方によっては、いったんバラしてからブロックをつなげ直します。

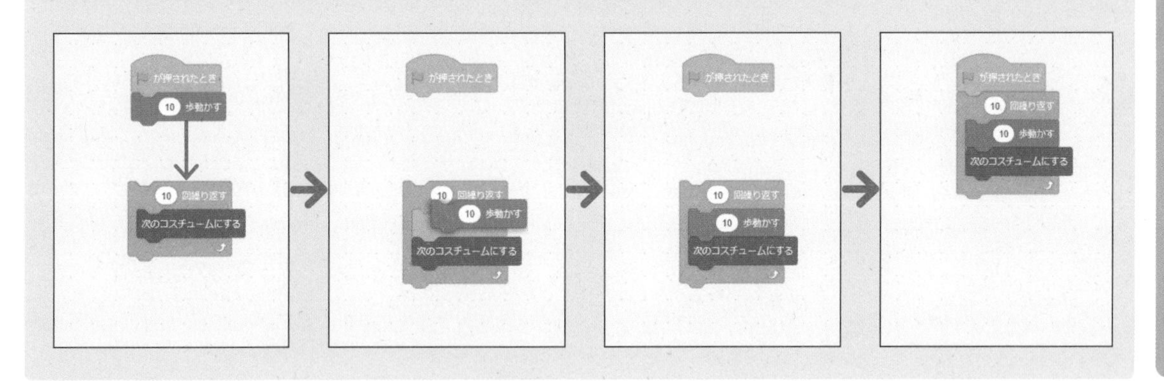

4 画面上の「緑の旗」をクリックしてみましょう。キャラクターが動きながらポーズを変えて、歩いているようなアニメーション作ることができました。

ゆっくり歩いているように変える

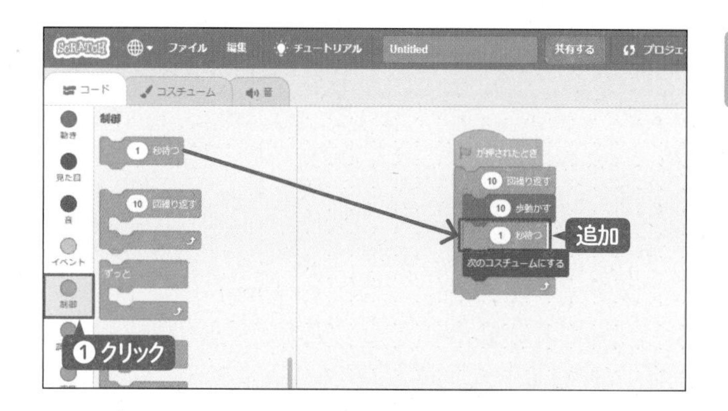

1 先ほど作ったアニメーションは、キャラクターの動きが少し速いので、10歩動くごとに少し待つようにしてみましょう。「制御」をクリックし、「1秒待つ」ブロックを「10歩動かす」ブロックと「次のコスチュームにする」ブロックの間に入れて、マウスボタンから指を離します。

3 画面上の「緑の旗」をクリックします。キャラクターがゆっくり歩いているアニメーションを作ることができました。ここまで作ったデータを「練習3」という名前を付けて保存しておきましょう。

MEMO

「1秒待つ」ブロックの「1」の部分を変えると、歩く速さを変えることができます。「0.5」秒のように、小数点以下の数字も設定できるので、数字を変えていろいろ試してみましょう。

追加した背景を削除するには

画面右下の「ステージ」で背景を選ぶと、左上に「背景」のタブが表示されるので、クリックしてみましょう。元の白い背景と、追加した背景が表示されています。背景を削除したいときは、右上のゴミ箱のアイコンをクリックします。

図形（正多角形）を書いてみよう

スクラッチを使って、正多角形を書くプログラムを作ってみましょう。
小学生も、学校で体験するプログラムです。
正三角形や正方形（正四角形）、正五角形などといった「正多角形」は、
図形の中のすべての辺の長さと角の角度が同じです。
正多角形をきれいに書くのは大変ですが、
プログラムを使えば、簡単に書くことができます。

1 「ペン」を追加して図形を書く準備をしよう

画面に図形を書くには、「ペン」のブロックを使います。最初は表示されていないので、ブロックを追加して図形を書く準備をしましょう。

「ペン」のブロックを追加する

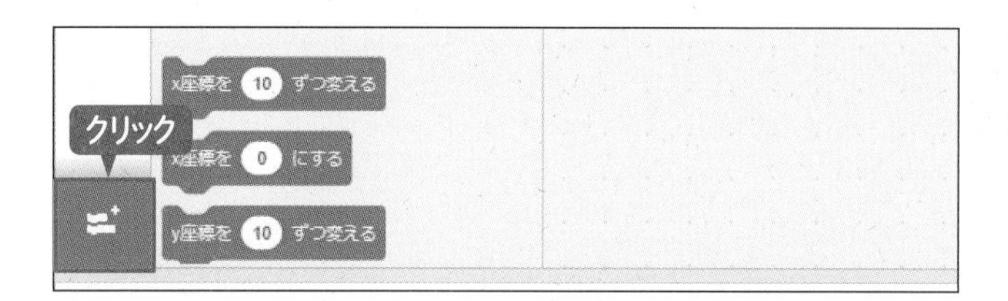

1 Scratchの画面を表示したら、画面の左下にある「拡張機能を追加」をクリックします。

2 拡張機能が表示されたら、「ペン」をクリックします。

MEMO
ほかにも、「音声合成」や「翻訳」など、いろいろな「拡張機能」がります。

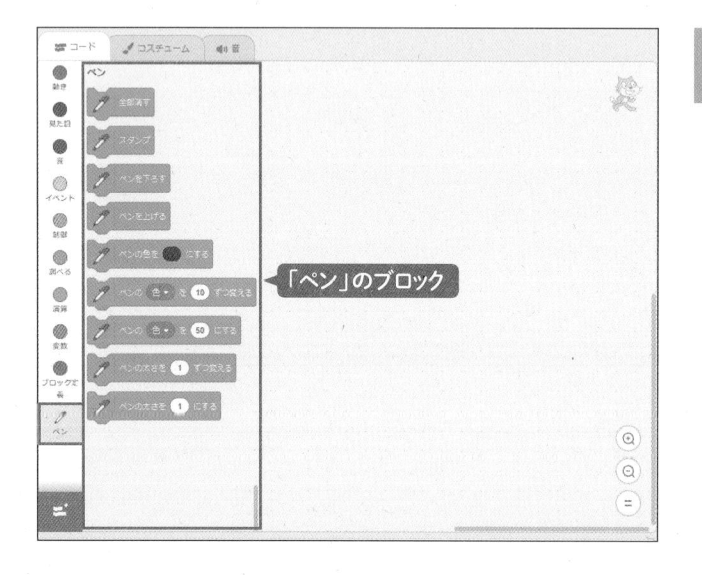

3 「ペン」のブロックが追加されました。

2 正方形を書いてみよう

正多角形をきれいに書くのは大変ですが、プログラムを使えば、簡単に書くことができます。ここでは、正方形（正四角形）を書いてみましょう。正方形の1つの角度は90度です。100歩真っ直ぐ進んで、90度曲がる動きを4回繰り返すプログラムを作ります。

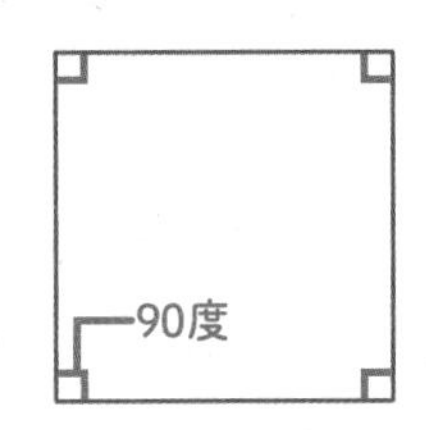

「100歩進んだ後で右に90度曲がる」のプログラムで線を書く

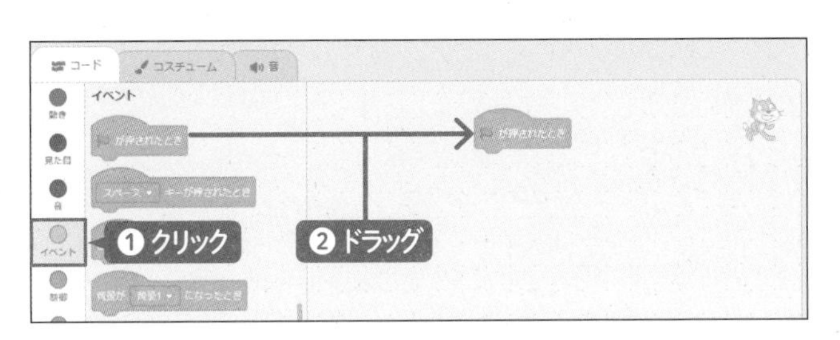

1 まず、「イベント」をクリックして、「緑の旗が押されたとき」ブロックをコードエリアにドラッグします。

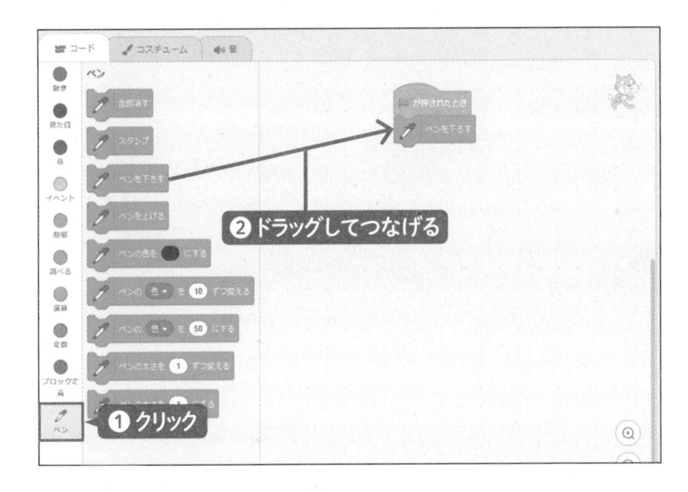

2 追加したペンのブロックを使います。「ペン」をクリックし、「緑の旗が押されたとき」ブロックの下に、「ペンを下ろす」ブロックを追加します。

MEMO

ペンを使って、図形を書くブロックです。

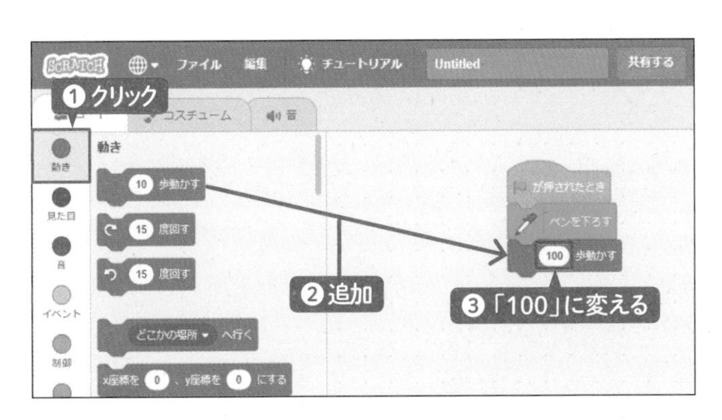

3 続いて、「動き」の「○歩動かす」ブロックを追加します。数字を「100」に変えて、「100歩動かす」にします。

MEMO

動いた長さの分だけ線を書くので、100歩にすると、100歩分の線が書ます。

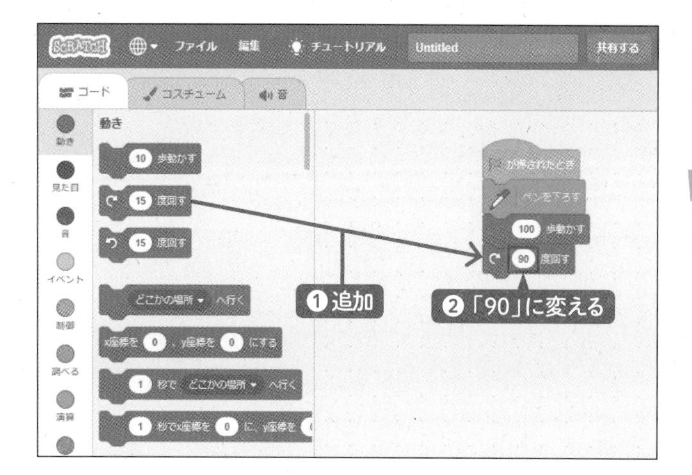

4 次に「右に○度回す」ブロックを追加します。数字を「90」に変えて、「右に90度回す」にします。

MEMO

これで、右に90度曲がります。

右回りと左回りのどちらかを選ぼう

「○度回す」ブロックは2種類あって、上が「右に○度回す」で、下が「左に○度回す」ブロックです。矢印の向きで見分けましょう。ここでは上のブロックを使っています。

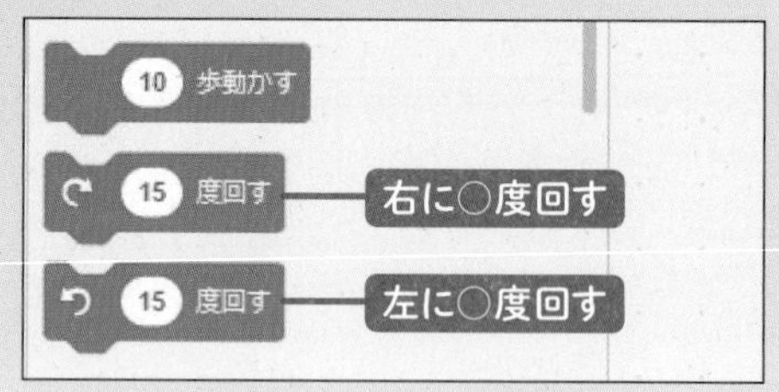

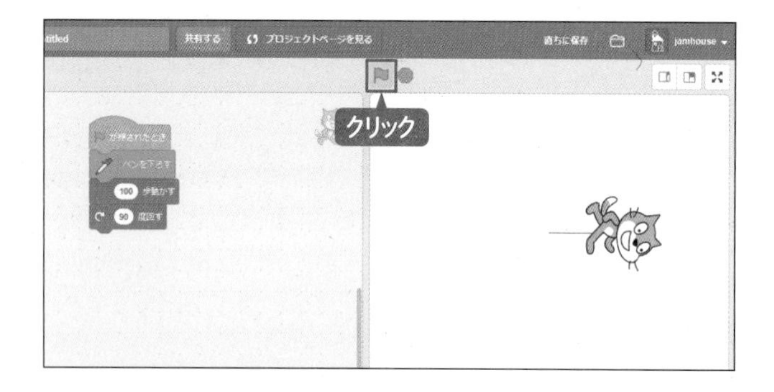

5 この状態で、いったん動かしてみましょう。画面上の「緑の旗」をクリックします。ネコが100歩動いて線を書き、右に90度向きを変えたら成功です。

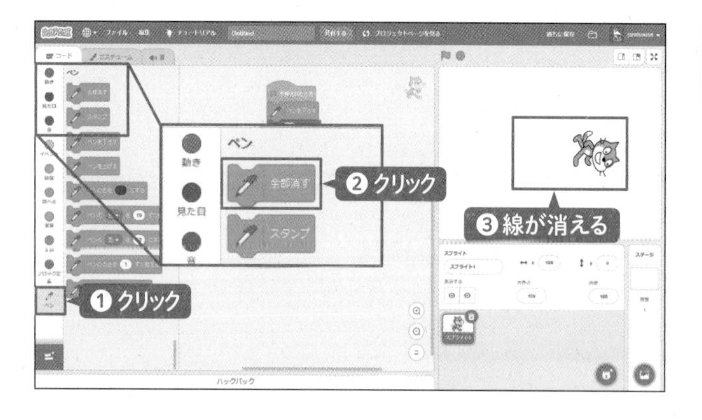

6 書いた線を消しておきましょう。「ペン」をクリックし、「全部消す」ブロックをクリックします。ステージに表示されているペンの線が消えます。

7 ネコの位置や向きの情報は、画面の右下に表示されています。元の向きに戻すために、「向き」の数字を「90」に変えます。

MEMO

これで、ネコが元の向きに戻ります。「向き」は、ネコ（スプライト）の動く向きを表していて、数字を「90」にすると右を向いて右の方向に、「0」にすると上を向いて上の方向に動くようになります。

「100歩進んだ後で右に90度曲がる」を4回分つなげて正方形を書く

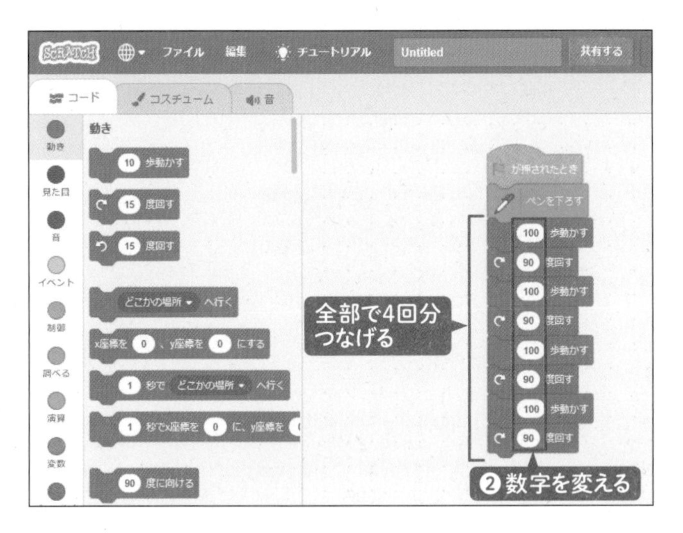

1 続けてプログラムを作っていきます。「○歩動かす」と「右に○度回す」ブロックを追加して、4回分ブロックをつなげます。数字を「100」と「90」に変えて「100歩動かす」と「右に90度回す」にします。

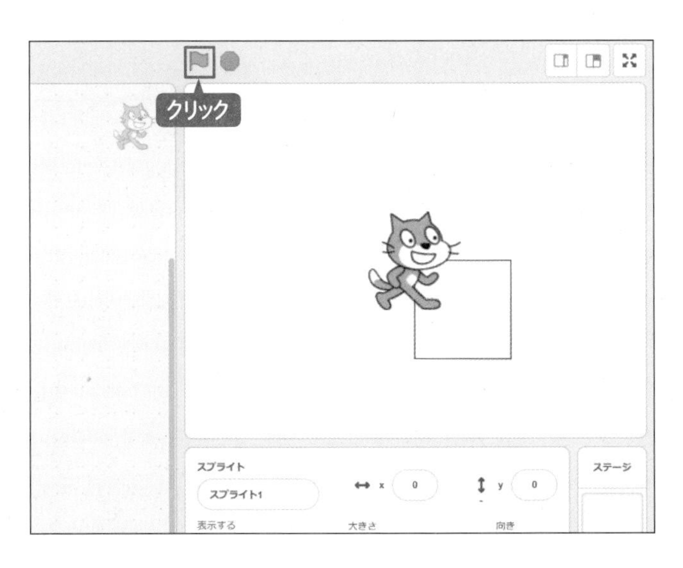

2 プログラムを実行してみましょう。画面上の「緑の旗」をクリックします。正方形が書たでしょうか？　最後に「ペン」の「全部消す」をクリックして、線を消しておきます。

「繰り返す」ブロックを使って正方形を書く

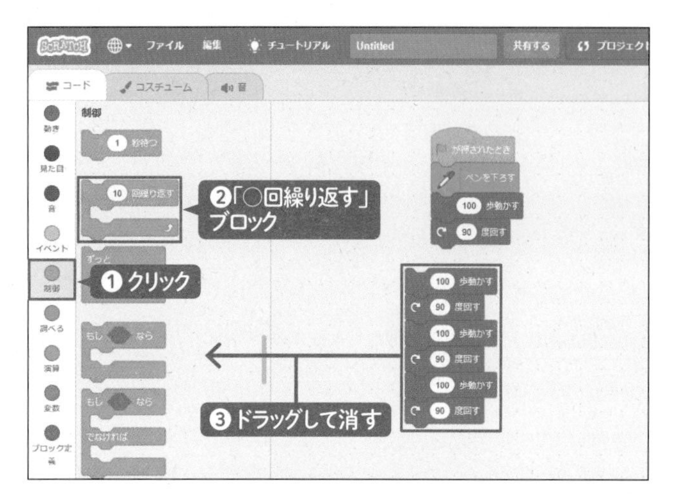

1 「100歩動かす」と「90度回す」のブロックを4回分つなげましたが、めんどうですよね。そこで便利なのが「制御」の「○回繰り返す」ブロックです。後で追加した3回分のブロックはブロックパレットエリアにドラッグして、消しておきましょう。

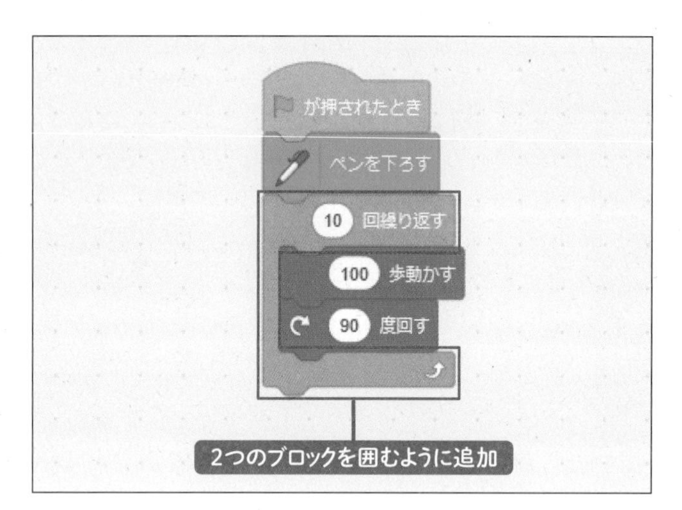

2 「○回繰り返す」ブロックをドラッグし、「100歩動かす」と「右に90度回す」ブロックを囲むように追加します。

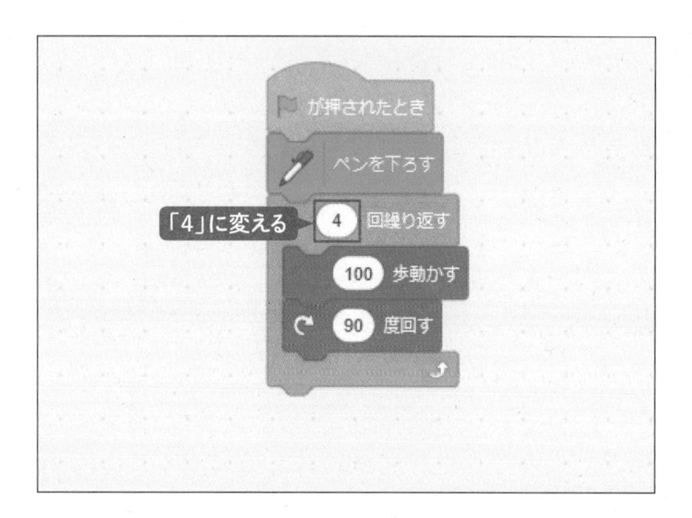

3 数字を「4」に変えて「4回繰り返す」にします。

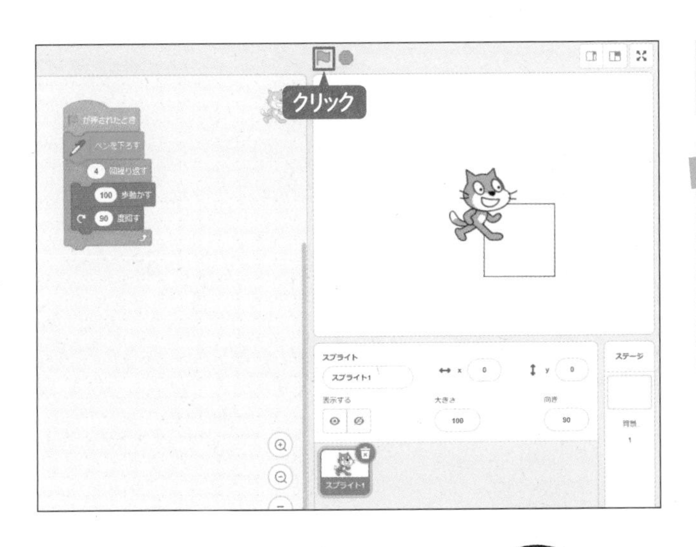

4

画面上の「緑の旗」をクリックします。正方形が書けたでしょうか？

MEMO

正方形を書く方法は1つではありません。プログラムを作るときは、より簡単な方法がないか考えるようにしましょう。

プログラムを比べてみよう

「繰り返す」ブロックを使い、繰り返し処理を行うことで、プログラムがシンプルになったことがわかります。2つのプログラムのフローチャートで比べてみましょう。

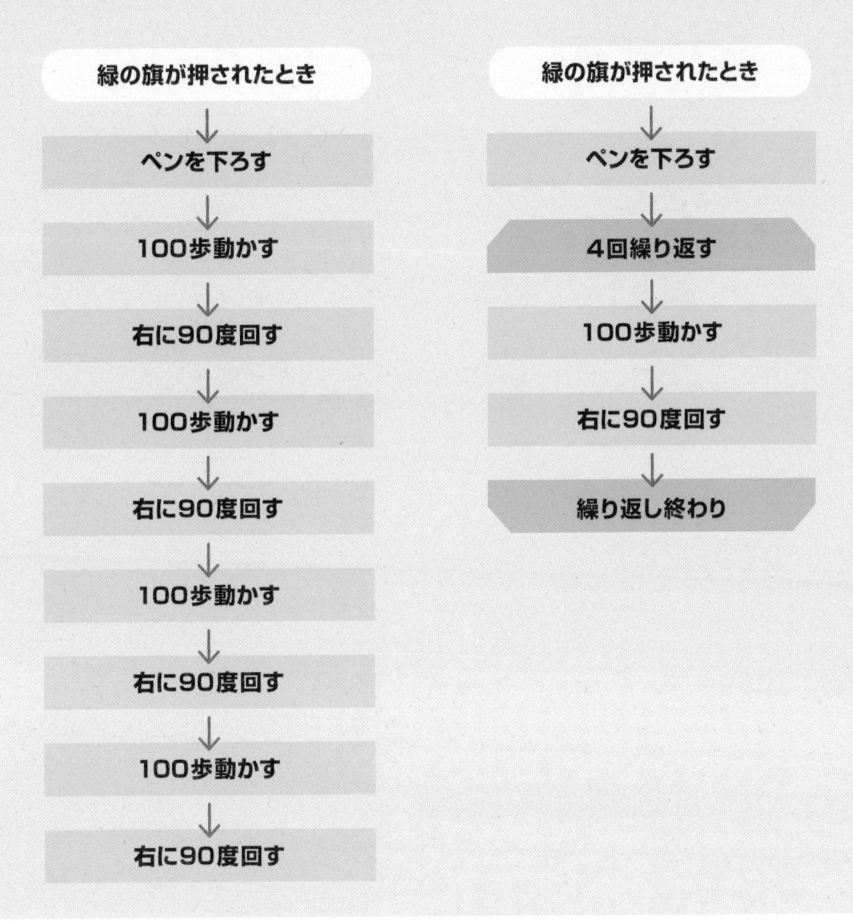

3 正三角形を書いてみよう

今度は、正三角形を書いてみましょう。曲がる角度を何度にすれば、正三角形を書くことができるのかを考えましょう。正三角形の内側の角度（内角）は 60 度なので、60度曲がる動きを繰り返せばよいのでしょうか？

試しに「60度回す」で図形を書いてみたらどうなる？

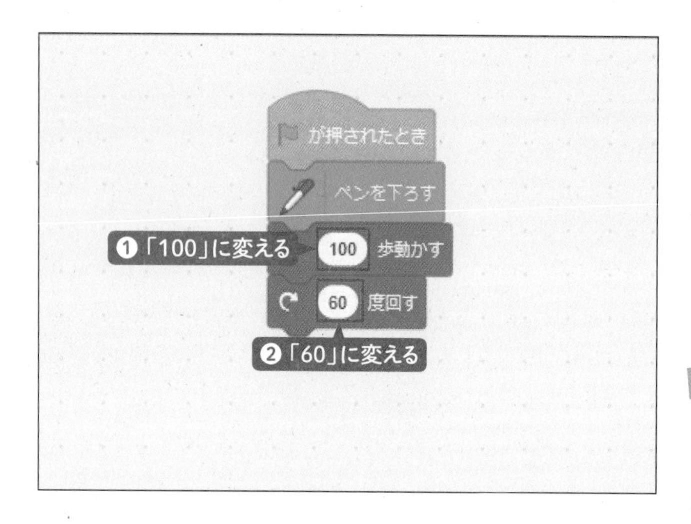

1 試しに、60度回して図形を書いてみましょう。画面のようにプログラムを作ります。「緑の旗を押したとき」に続けて「ペンを下ろす」「○歩動かす」「右に○度回す」ブロックをつなげ、数字を「100」と「60」に変えて「100歩動かす」と「右に60度回す」にします。

MEMO

正方形を書いた続きではなく、最初からプログラムを作るときは、「ファイル」をクリックして「新規」をクリックしましょう。

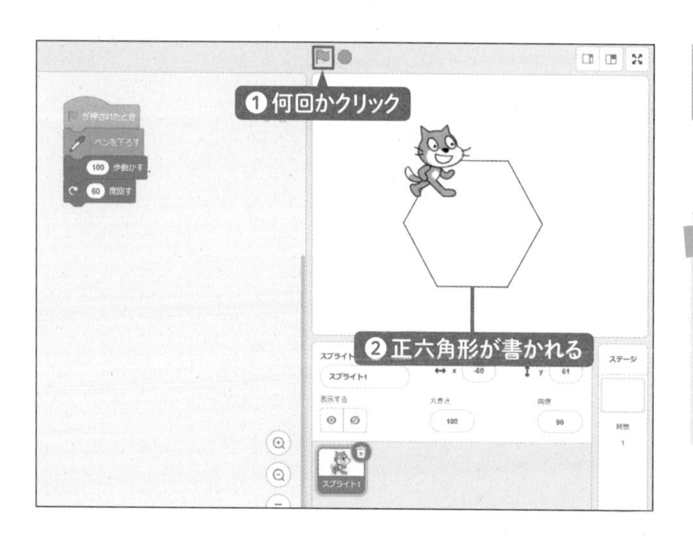

2 画面上の「緑の旗」を何回かクリックして、ネコを1周させましょう。書かれたのは、正六角形ではないでしょうか。

MEMO

書かれた図形を確認したら「ペン」の「全部消す」をクリックして、ステージに表示されている線を消しておきます。

自分の目線で、回る角度を考えよう

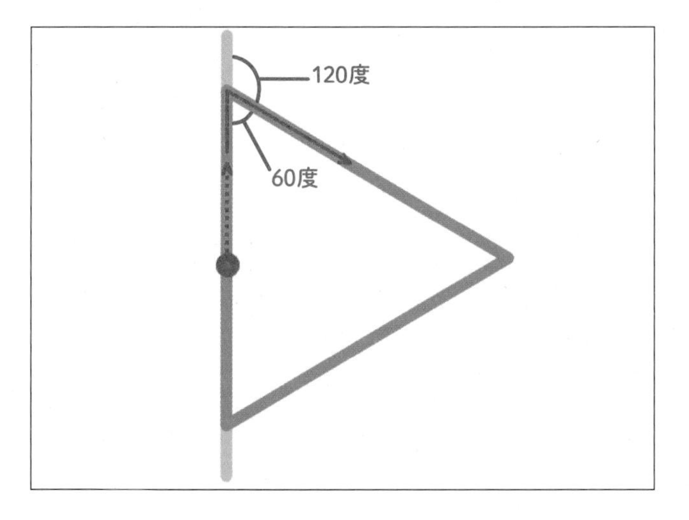

1 自分が三角形の辺の上を歩いていると考えてみましょう。真っ直ぐに歩いて、曲がります。下の式のように計算すると、三角形の内側の角度（内角）を60度にするためには、直線の180度から60度を引いて120度曲がることが分かります。

[式]
180度－60度＝120度
↑ 内角　↑ 外角（曲がる角度）

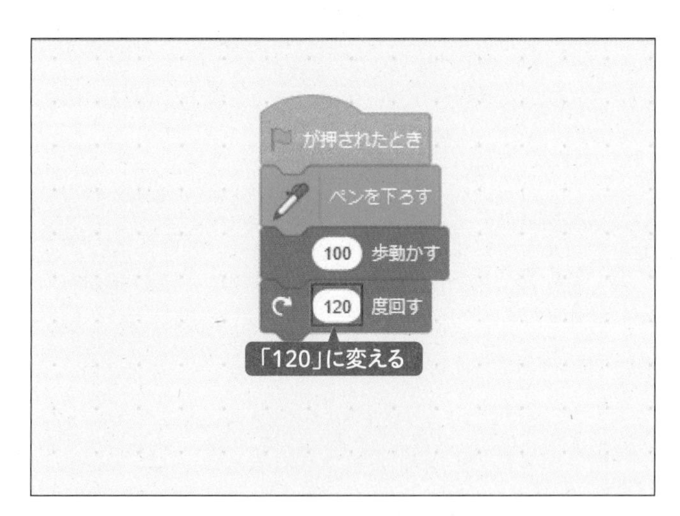

2 さっき作ったプログラムの「右に60度回す」の数字を「120」に変えて「右に120度回す」にします。

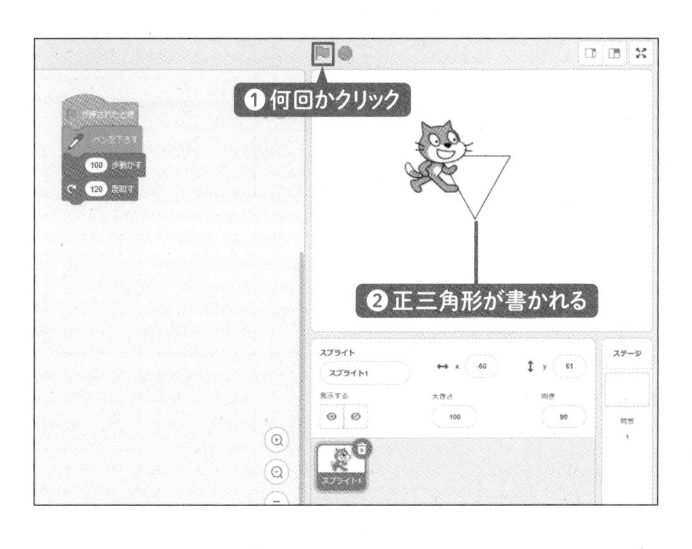

3 画面上の「緑の旗」を何回かクリックして、ネコを1周させましょう。今度は正三角形を書くことができましたか？　確認したら「ペン」の「全部消す」をクリックして、線を消しておきます。

「繰り返す」ブロックを使って正三角形を書く

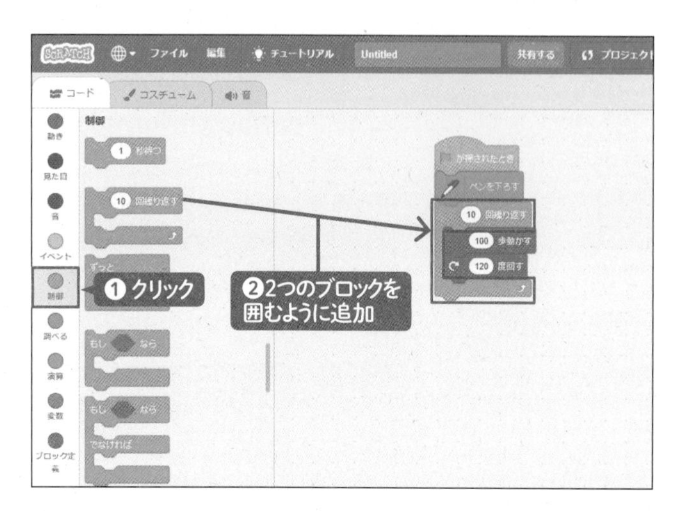

1 プログラムを完成させましょう。「制御」の「○回繰り返す」ブロックをドラッグし「100歩動かす」と「右に120度回す」ブロックを囲むように追加します。

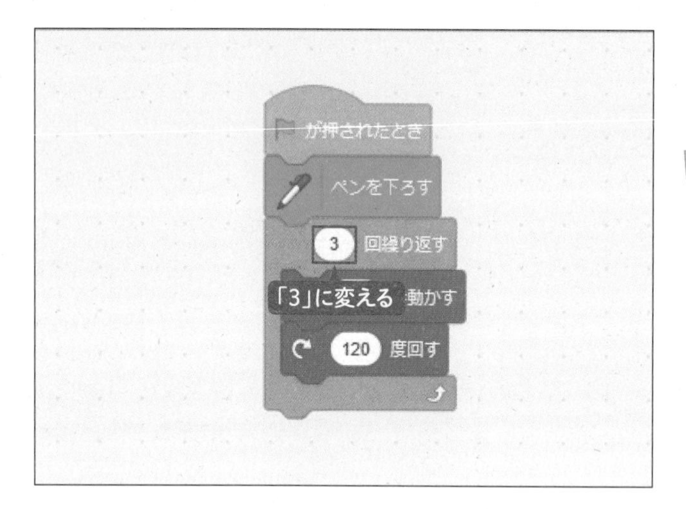

2 数字を「3」に変えて「3回繰り返す」にします。

MEMO

「100歩動かす」と「右に120度回す」ブロックを3回分つなげてもプログラムは完成しますが、「繰り返す」ブロックを使ったほうが、簡単です。

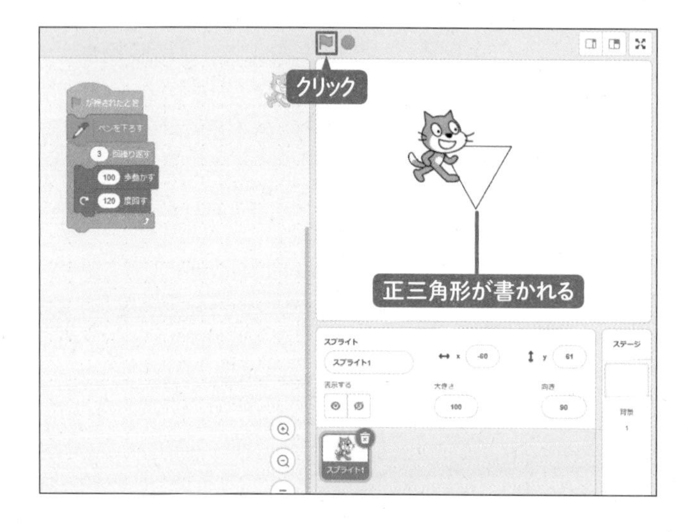

3 画面上の「緑の旗」をクリックして確認します。正三角形を書くことはできましたか？　確認したら「ペン」の「全部消す」をクリックして、線を消しておきます。

4 正五角形を書いてみよう

正三角形を書いたプログラムを変えて、正五角形を書いてみましょう。正五角形を書くためには、曲がる角度を何度にすればよいのかを考えます。

自分の目線で、回る角度を考えよう

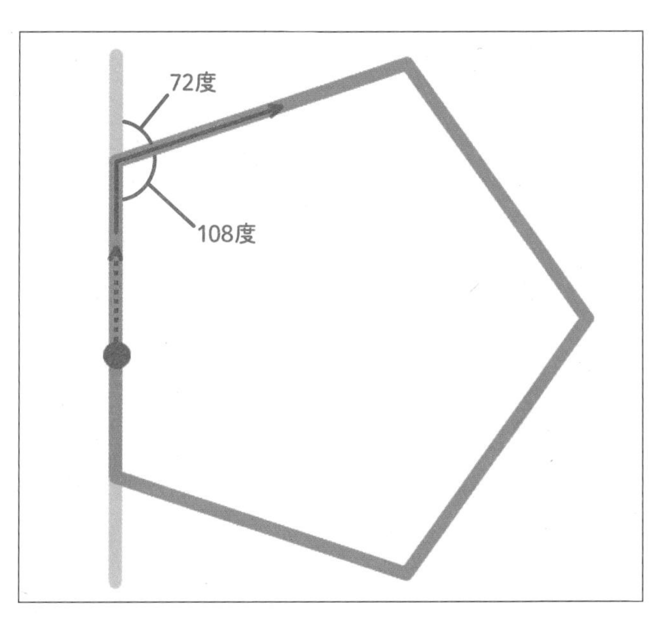

1 自分が正五角形の辺の上を歩いていると考えてみましょう。真っ直ぐに歩いて、曲がるという考え方は、正三角形を書くときと同じです。正五角形の内角は108度なので、下の式のように計算すると、72度曲がることが分かります。

[式]
180度－108度＝72度
↑内角　↑外角（曲がる角度）

正五角形の内角の求め方

正五角形の内角が分からなくても、次のように計算できます。正五角形の中に2本線を引くと、三角形が3つできます。三角形の内角の合計は「180度」です。それが3つあるので「180度×3=540度」となります。これで、正五角形の内角の合計は「540度」ということが分かります。

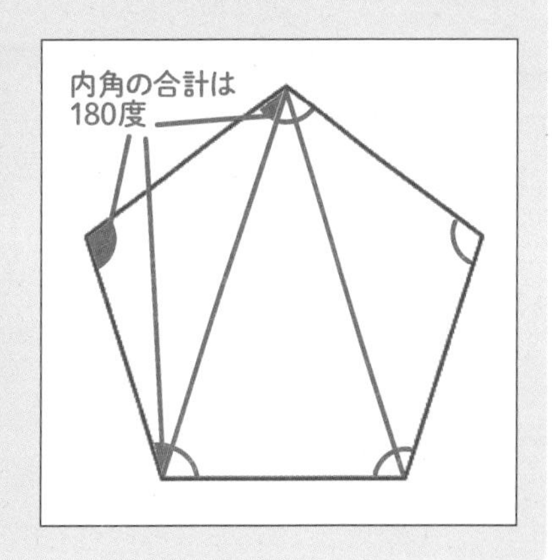

正五角形には角が5つあるので、「540度÷5=108度」となり、1つの内角が「108度」ということになります。

プログラムを作るには、書きたい図形のことをよく知ることも大切です。

[式] 180度×3=540度……正五角形の内角の合計
　　540度÷5=108度……正五角形の1つの内角

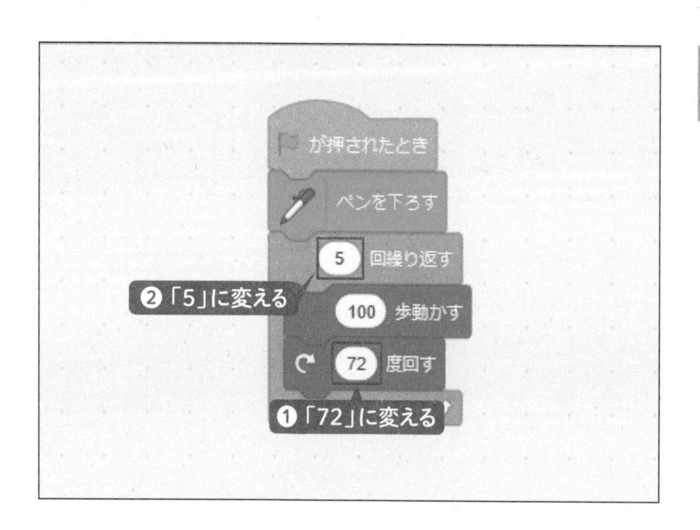

2 ブロックの数字を「72」と「5」に変えて、「右に72度回す」と「5回繰り返す」にします。

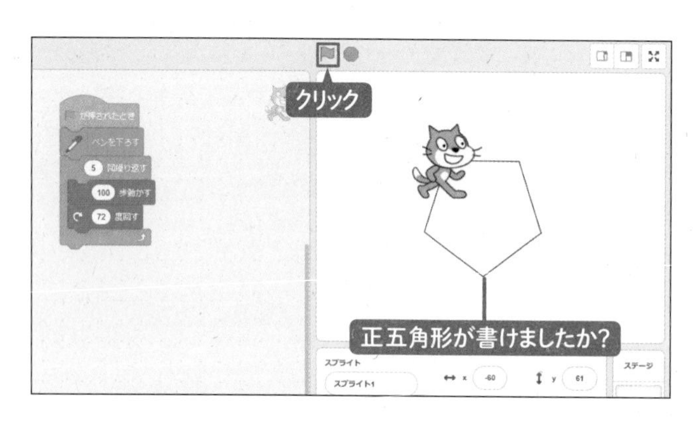

3 画面上の「緑の旗」をクリックして確認します。正五角形を書くことはできましたか?

図形を書くプログラムをつなげてアレンジしてみよう

この章で作った、正方形、正三角形、正五角形を書くプログラムをつなげて、図形を順番に書くプログラムにアレンジしてみましょう。「制御」の「○秒待つ」ブロックと「ペン」の「全部消す」ブロックを使います。画面のように並べ、完成したら「緑の旗」をクリックして動きを確認しましょう。

※ ここでは2列にしていますが、じっさいは1列につなげて作ってください。

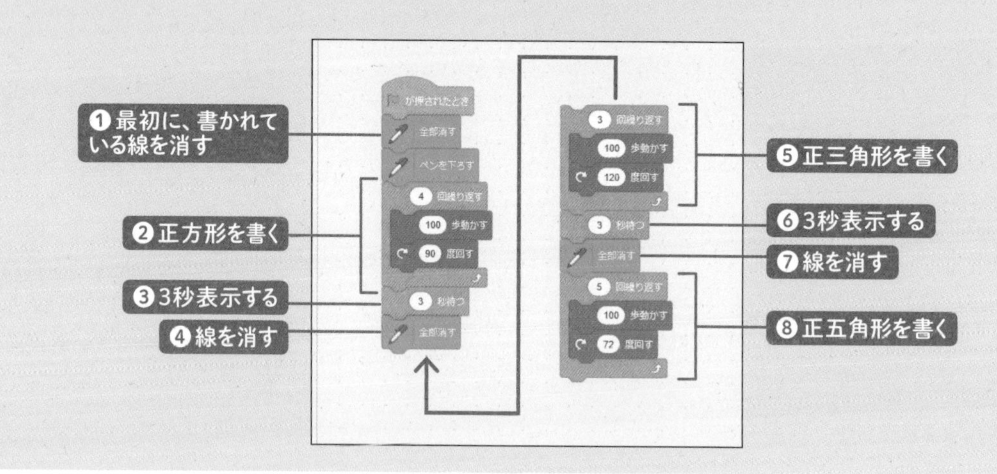

4章

「おしゃべり単語帳」で英語学習

英語やフランス語など、外国語の習得に役立つのが、単語帳です。
表側に日本語の単語が書かれていて、
めくると裏側に外国語の単語が書かれています。
学生の頃に使った経験のある方も多いでしょう。
外国語は、大人になってあらためて学習する方も多いもの。
今現在も単語帳を使っている方もいるのでは？

今回作るのは、「おしゃべり単語帳」です。
日本語の単語を表示した後に、英単語を表示し、さらに発音もしてくれます。
言語は英語以外に、フランス語やドイツ語、
中国語や韓国語などの言語にすることもできます。
さらに、プログラムを改造して、複数の単語を追加する方法にも
チャレンジしてみましょう。

ここで作るプログラムの考え方は、12ページで解説した「順次処理」です。
それ以外に、新しく学ぶプログラムの考え方として、「変数」が登場します。
変数については、本章の中で、詳しく解説しています。

※ここで紹介しているプログラムは「Scratchスタジオ」で公開しています。
URL：https://scratch.mit.edu/studios/30117475/

1 基本のプログラムのフローチャートを書いてみよう

最初に、プログラムのフローチャートを書いてみましょう。このプログラムを作るには、Scratchの拡張機能を使います。拡張機能を使うと、入力した日本語を自動で外国語に翻訳したり、その単語を自動音声で発音させたりすることができるのです。

フローチャートを書く

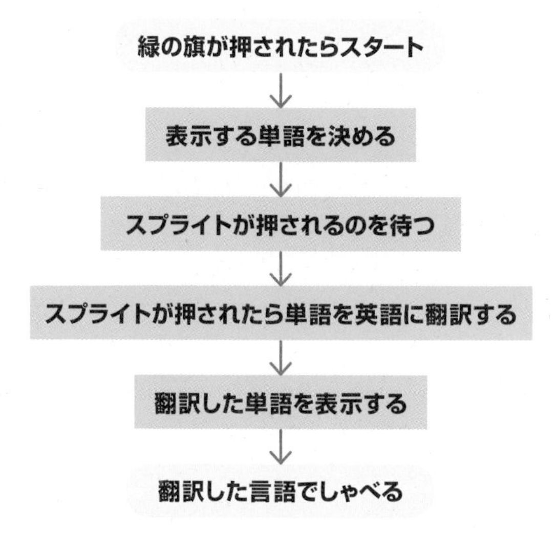

2 「翻訳」と「音声合成」の拡張機能を追加しよう

プログラムを作り始める前に、拡張機能を追加します。ここでは「翻訳」と「音声合成」の機能を追加します。

プログラムを作る準備をして、拡張機能を追加する

1 プログラムを作る画面を表示したら（29ページ参照）、プログラムの名前を「おしゃべり単語帳」にしておきます。

MEMO

プログラムの名前を付けるには、最初に登録したユーザー名でサインインしておく必要があります（26ページ参照）。

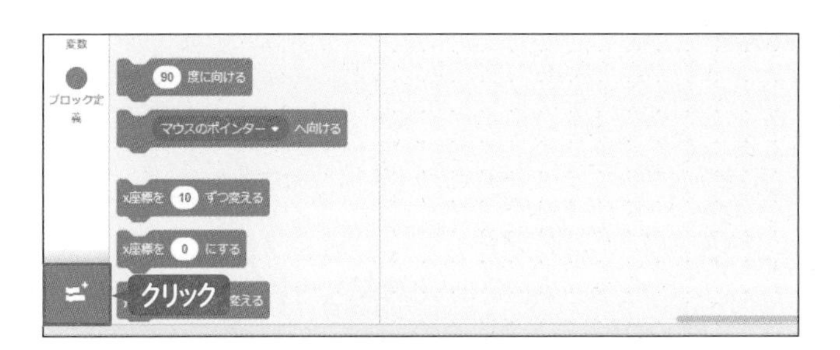

2 画面左下の「拡張機能を追加」をクリックします。

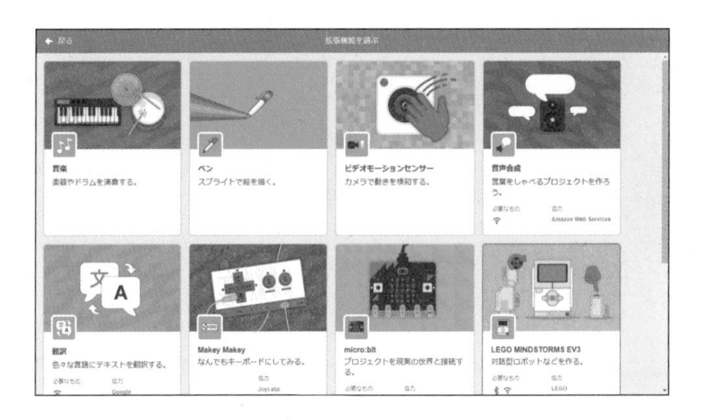

3 利用可能な拡張機能が表示されます。

4 「翻訳」をクリックします。

5 「翻訳」のブロックが追加されました。もう一度、「拡張機能を追加」をクリックします。

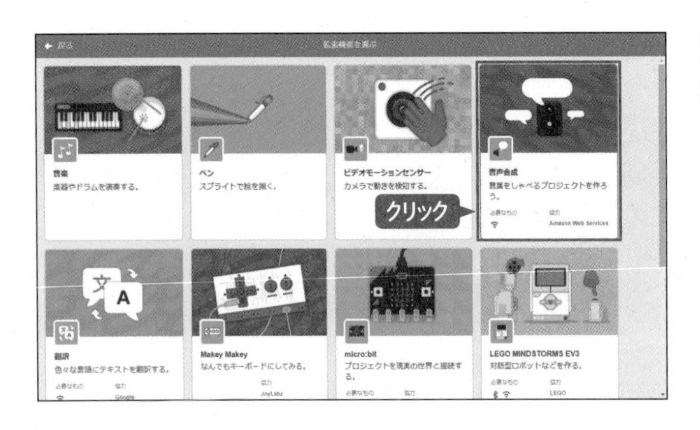

6 「音声合成」をクリックします。

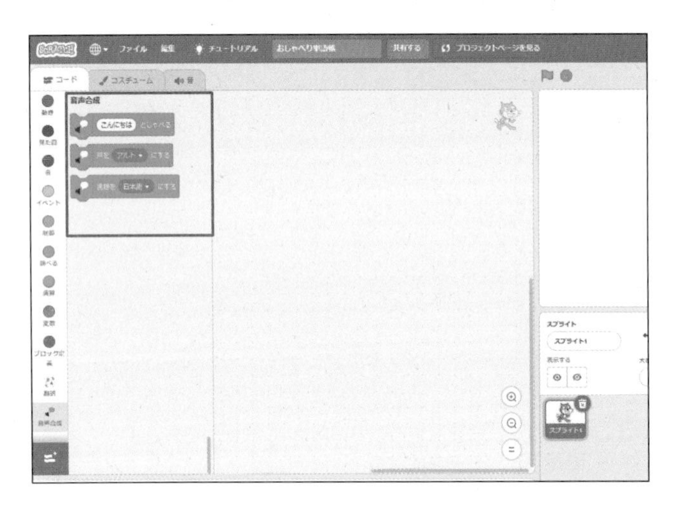

7 「音声合成」のブロックが追加されました。

3 スプライトを選ぼう

このプログラムでは、最初に表示されているネコではないスプライトを使ってみます。新しく選んだスプライトに、英単語をしゃべってもらいましょう。

スプライトを選んで追加する

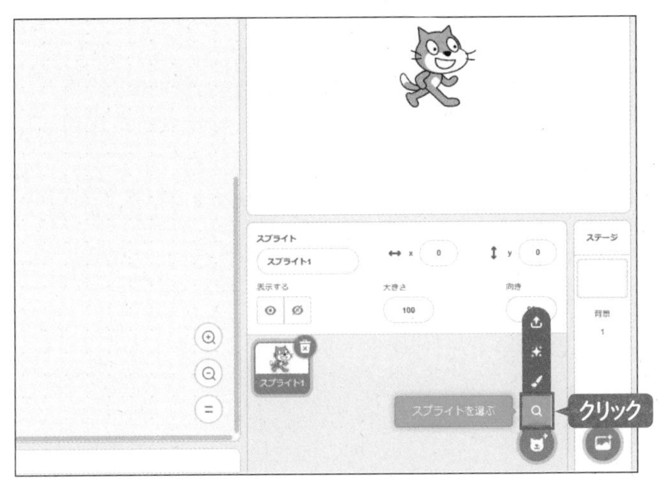

1 画面右下の「スプライトを選ぶ」にマウスポインターを合わせ、表示されたメニューの「スプライトを選ぶ」をクリックします。

2 ジャンルの「ファンタジー」をクリックします。

3 「Giga」をクリックします。

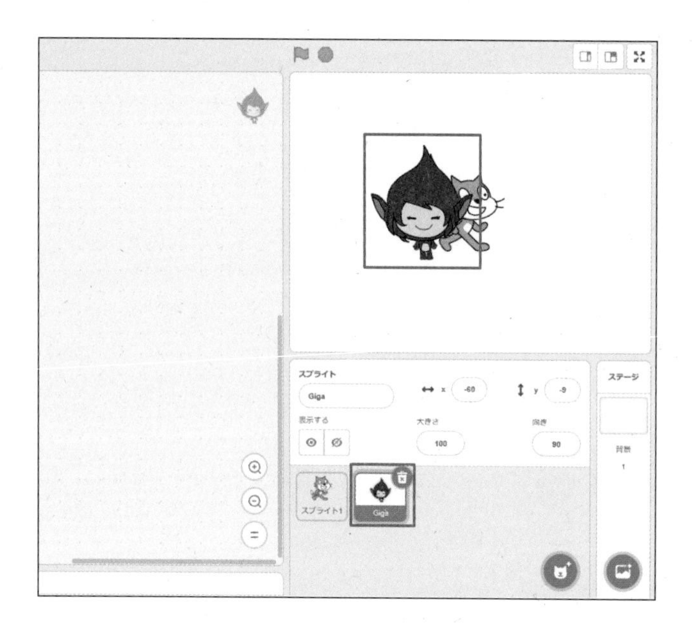

4 「Giga」が追加されました。

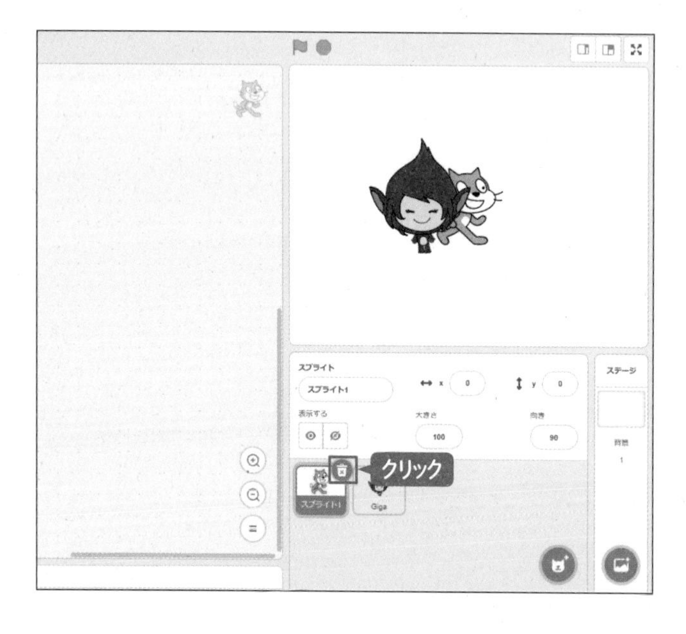

5 今回は、ネコを使わないので、消しておきます。ネコを選択し、右上のゴミ箱のアイコンをクリックしてください。

4 変数を使ってみよう

ここでは、新たに「変数」というプログラムの機能を使います。変数を追加して、利用する方法を見てみましょう。「変数」がどのようなものかについては、69ページで詳しく解説しています。

新しい変数を追加する

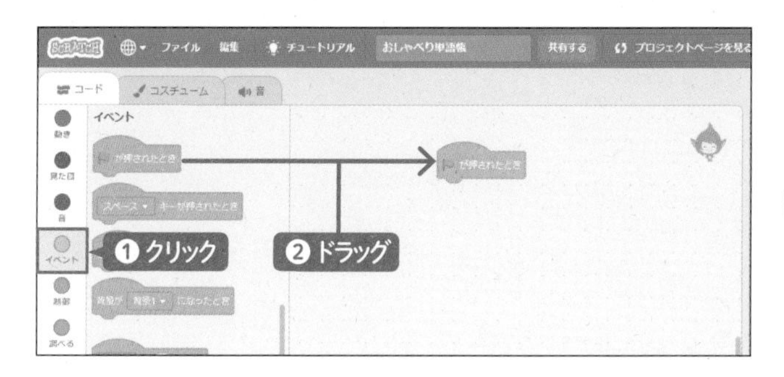

1 「イベント」をクリックして、「緑の旗が押されたとき」ブロックをコードエリアにドラッグします。

MEMO
緑の旗をクリックしたら、プログラムがスタートします。

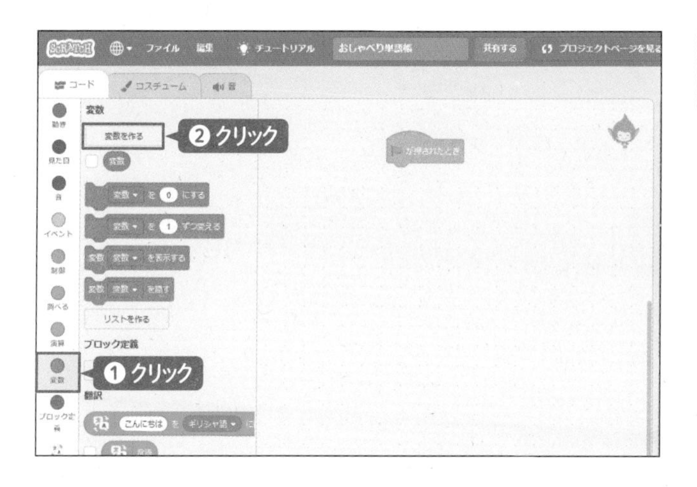

2 「変数」をクリックして、「変数を作る」をクリックします。

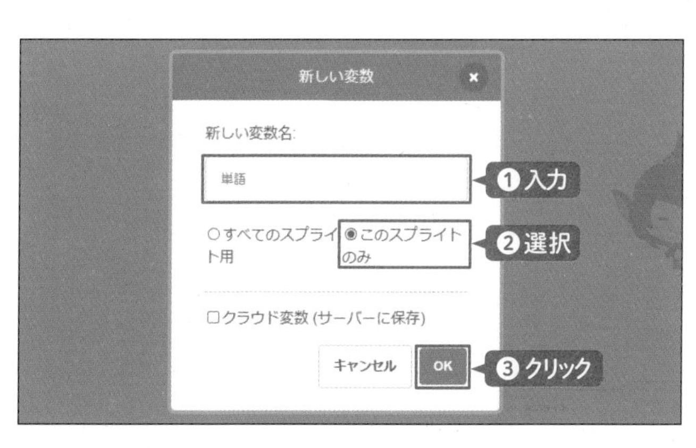

3 「新しい変数」が表示されたら、「新しい変数名」に「単語」と入力します。下の選択肢からは「このスプライトのみ」を選んで、「OK」をクリックします。

MEMO
「変数」については、69ページで詳しく解説しています。

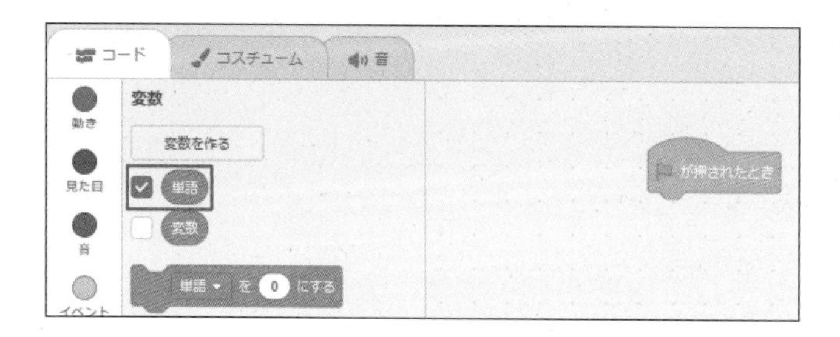

4 「単語」という変数が追加されました。

変数のブロックを使う

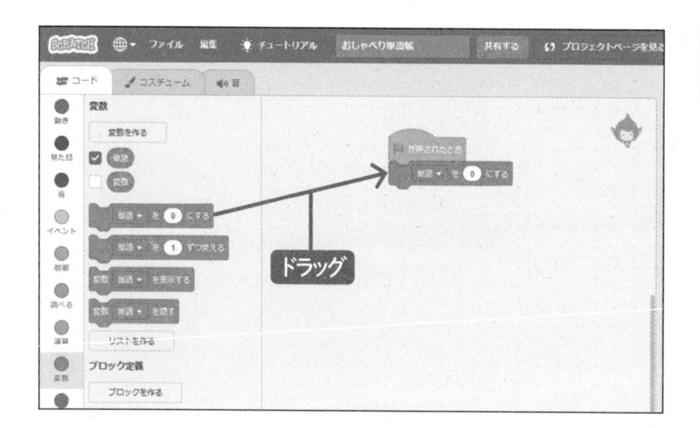

1 「[単語] を○にする」ブロックをドラッグして、「緑の旗が押されたとき」ブロックの下に追加します。

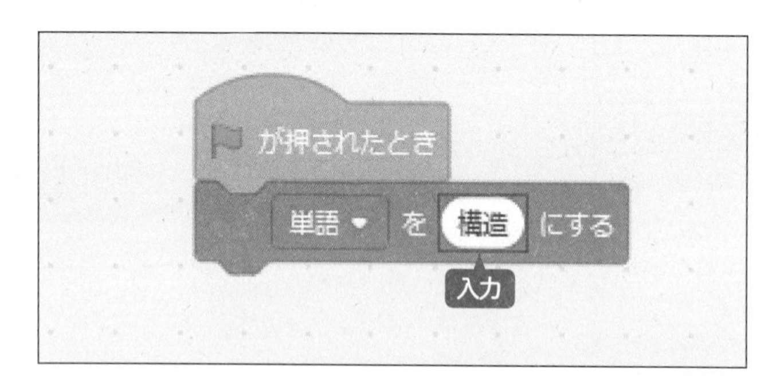

2 「[単語] を○にする」ブロックの○内に、表示したい日本語の単語を入力します。ここでは、(構造)としています。

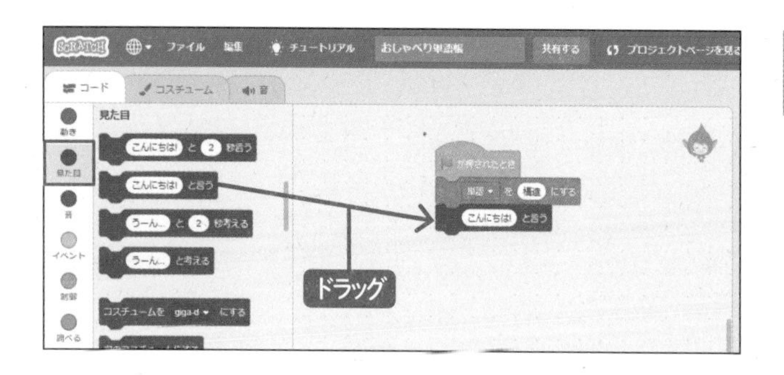

3 「見た目」の「(こんにちは！)と言う」ブロックをドラッグして追加します。

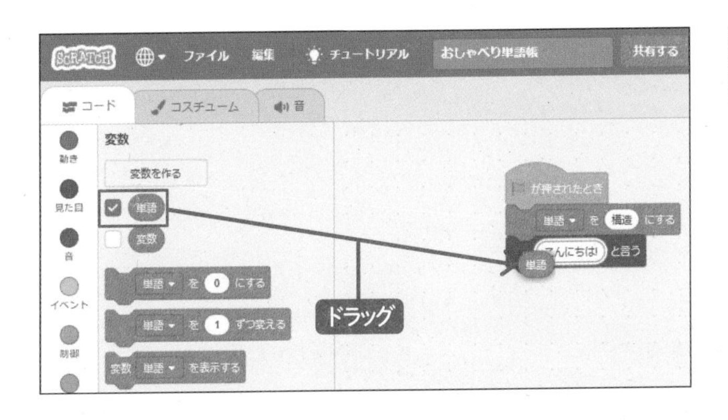

4

「変数」の「単語」ブロックを「(こんにちは！)と言う」ブロックの○の中にドラッグします。

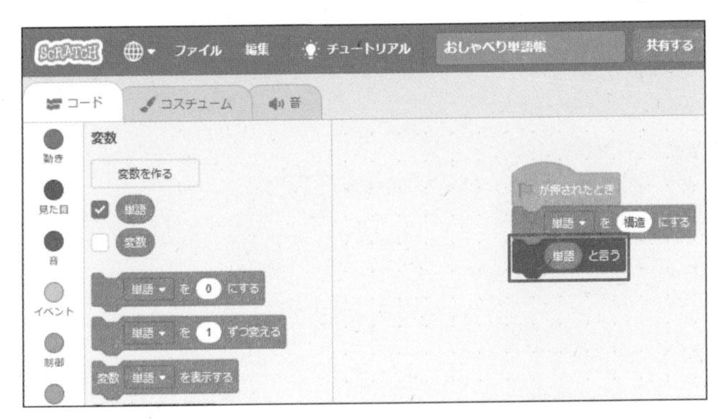

5

「(単語) と言う」ブロックのようになります。

MEMO

ここまでに作ったプログラムは、緑の旗が押されたときに、「単語」という箱に入れられた「構造」という文字を表示するというものです。

変数ってどんなもの？

「変数」は、データを入れる箱のようなものだと考えてください。「数」と言っていますが、中に入れるデータの種類は、数字以外に、英語や日本語の文字でもかまいません。

例えば、この後に作る第6章のプログラムでは、「score」という変数を作って、得点の数字を入れるようにしています。バスにお客さんを乗せるたびに、scoreの変数は100ずつ増えていきます。「現在scoreに入っている数字に100を足す」といったブロックを作ることで、プログラムの中で計算が行いやすくなります。箱の中の数字は変化するので、「変数」と言います。

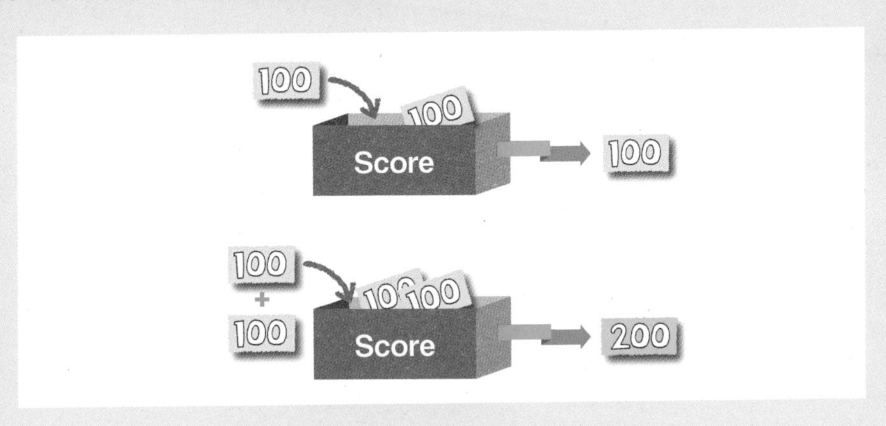

この章のプログラムでは、日本語の単語を変数の中に入れています。プログラムの中で同じ単語を何度も入力するよりも、変数の中に入れておいて変数の名前で呼び出すほうが、プログラムがスッキリ分かりやすくなるからです。

なお、Scratchの場合、次のように、変数の範囲を指定できます。

●すべてのスプライト用

変数の箱は、すべてのスプライトで共通です。例えば、「score」という変数に「200」を入れると、どのスプライトから変数を見ても「200」になっています。

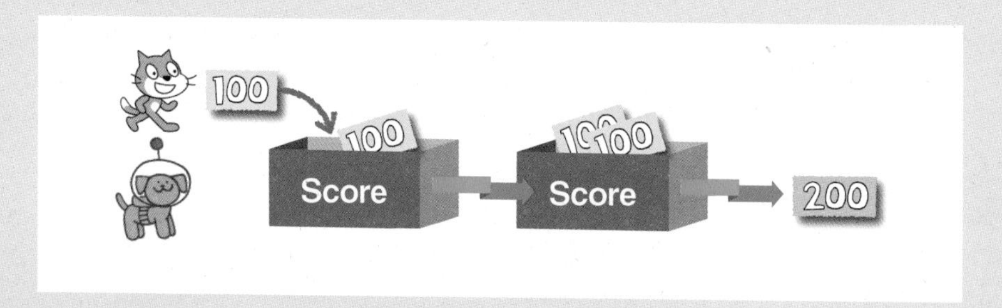

●このスプライトのみ

変数の箱はこのスプライトごとに作られます。例えば、同じ「score」という名前の変数を作ったとき、ネコのスプライトでは「200」、イヌのスプライトでは「300」を入れることができます。

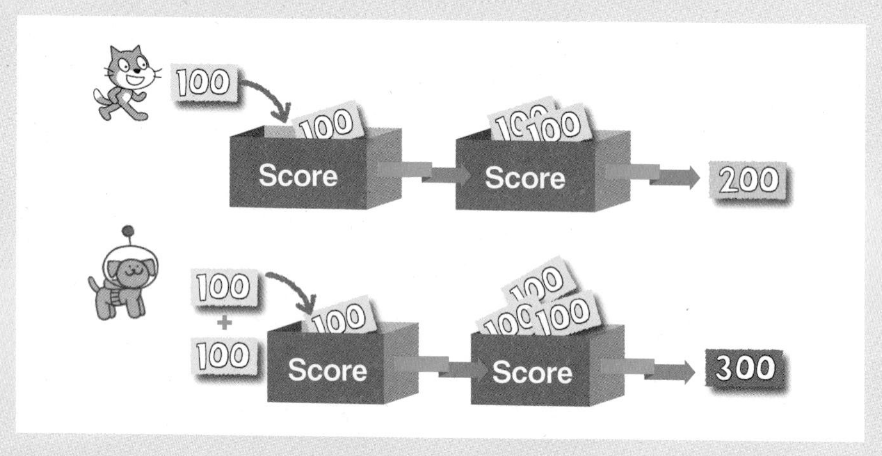

また、この章の最後に解説するように、プログラムを改造するときにも、変数を活用したほうが簡単になります。登録する単語を変更するのも、一箇所入力し直すだけです。

これから複雑なプログラムを作っていくとき、「変数」は欠かせない要素になります。

5 スプライトが押されたら単語を翻訳して表示しよう

今のところ、プログラムを実行しても、日本語の単語を表示するだけです。次は、スプライトが押されたら、単語を英語に翻訳して表示するようにしてみます。

スプライトが押されたときのプログラムを作る

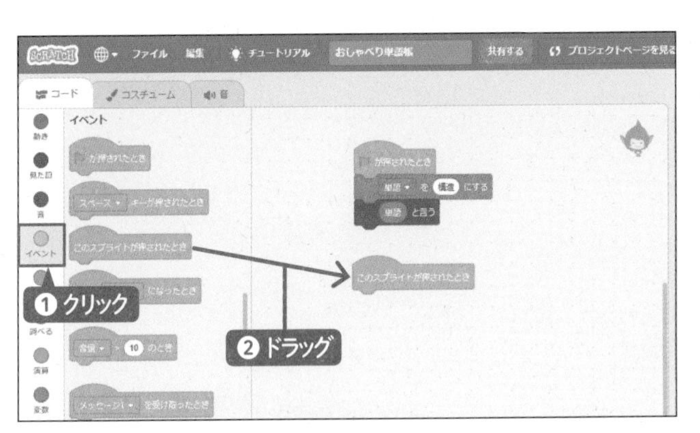

1 「イベント」をクリックして、「このスプライトが押されたとき」ブロックをコードエリアにドラッグします。

MEMO

このブロックは、上のブロックにつなぎません。

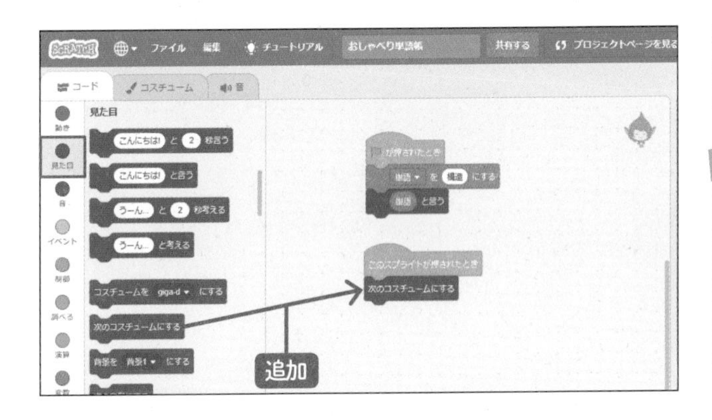

2 「見た目」の「次のコスチュームにする」ブロックを追加します。

MEMO

このブロックはなくてもかまいませんが、スプライトをクリックするたびに表情やポーズを変えてくれる演出が楽しめます。

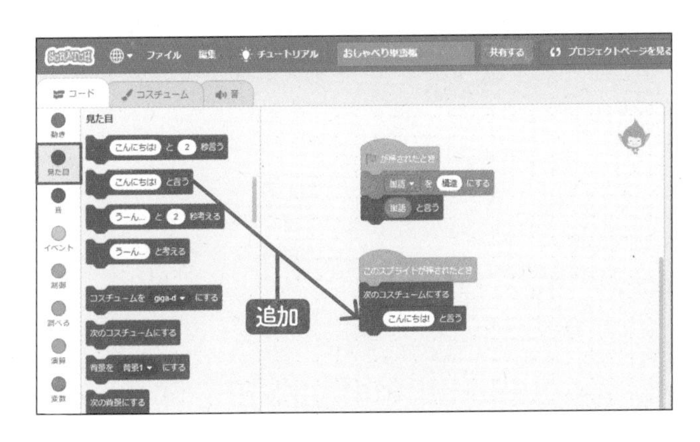

3 「見た目」の「(こんにちは！)と言う」ブロックをドラッグして追加します。

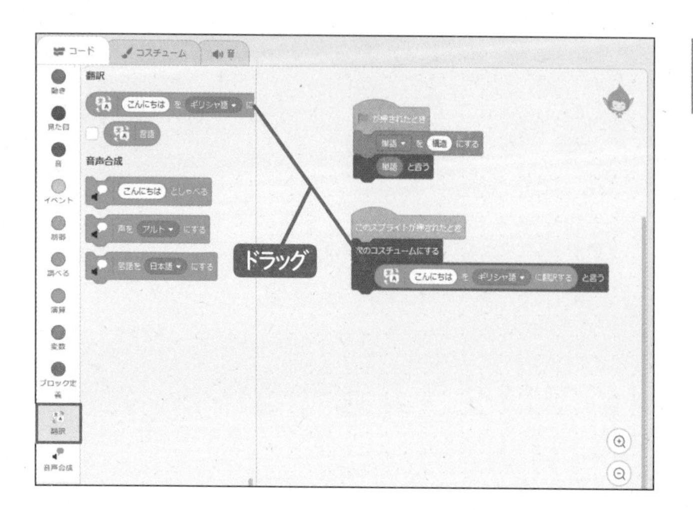

4 「翻訳」の「(こんにちは)を○に翻訳する」ブロックを「(こんにちは！)と言う」ブロックの(こんにちは！)の部分にドラッグして入れます。

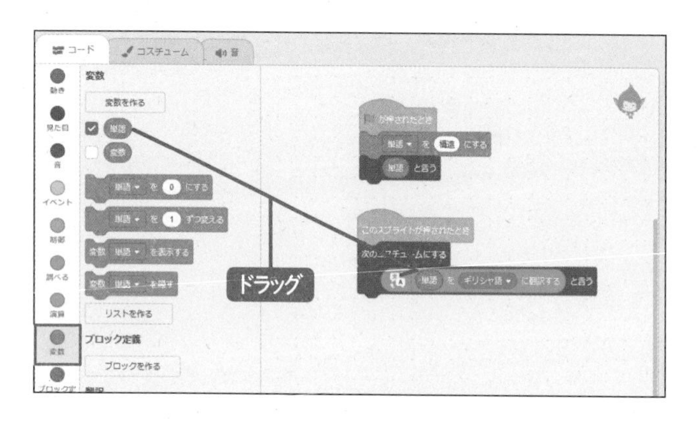

5 さらに、「変数」の「単語」をドラッグして、「(こんにちは)を○に翻訳する」ブロックの(こんにちは)の部分に入れます。

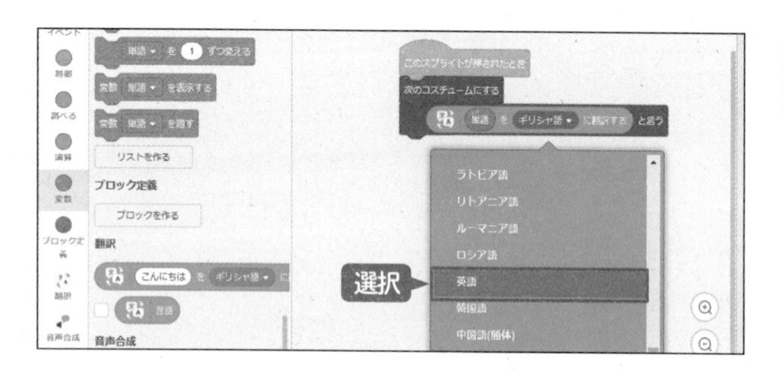

6 このブロックの右側の○をクリックして、言語を選びます。ここでは「英語」を選んでいます。

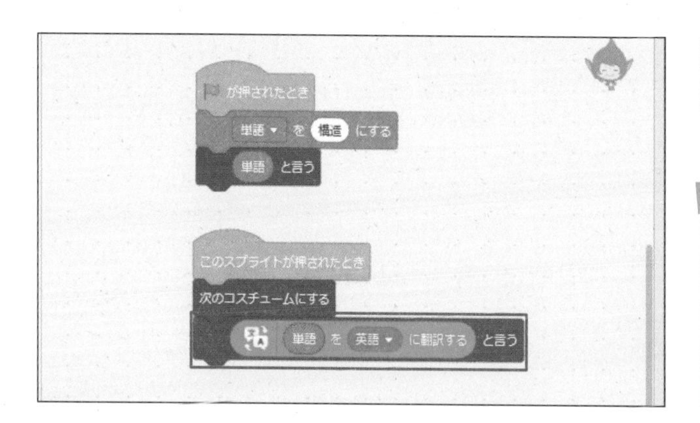

7 これで、「「(単語)を(英語)に翻訳する」と言う」ブロックのようになります。

MEMO

ここまでのプログラムで、「単語」の箱に入れた日本語を英語に翻訳して、セリフとして表示することができます。

6 翻訳した単語を合成音声でしゃべらせよう

入力した単語を翻訳して表示するところまで、プログラムができました。次は、翻訳した単語を合成音声でしゃべらせてみます。

合成音声の声音や言語を決める

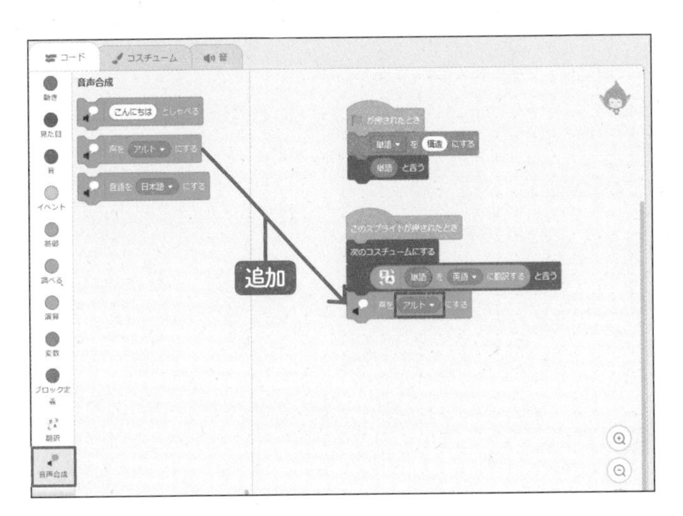

1 「音声合成」の「声を○にする」ブロックを追加し、声を選択します。ここでは、「アルト」のままにしています。

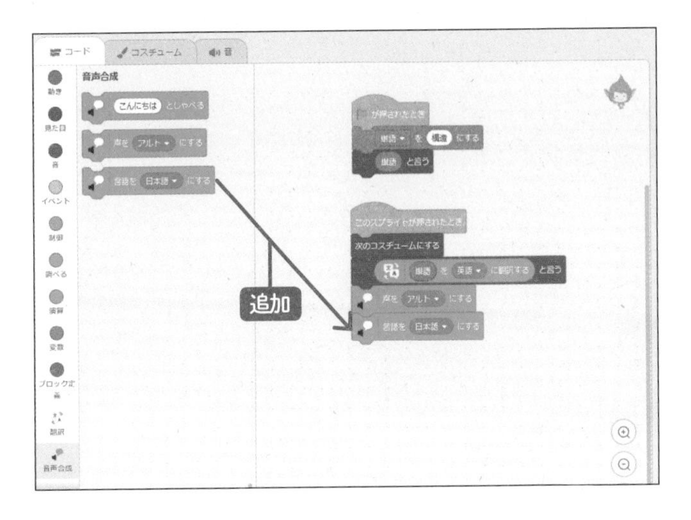

2 「言語を○にする」ブロックを追加します。

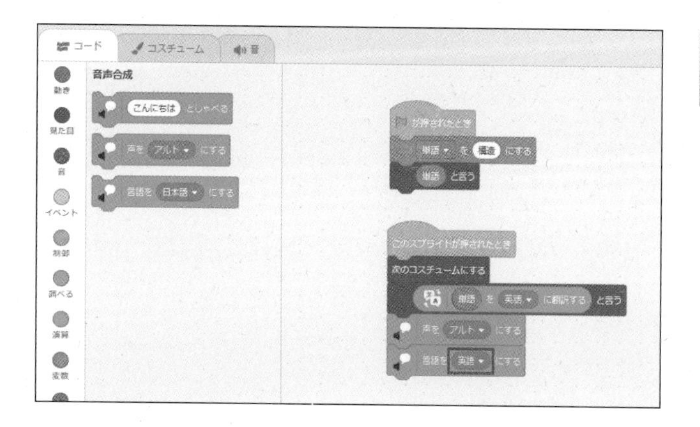

3 言語の種類を選べます。ここでは、「英語」にしています。

合成音声でしゃべる言葉を決める

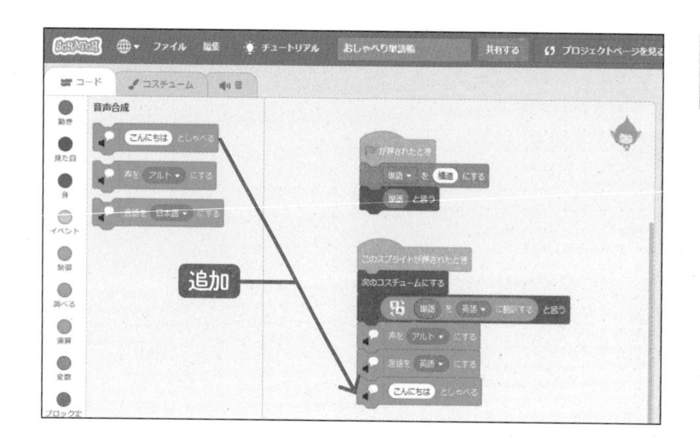

1 「(こんにちは)としゃべる」ブロックを追加します。

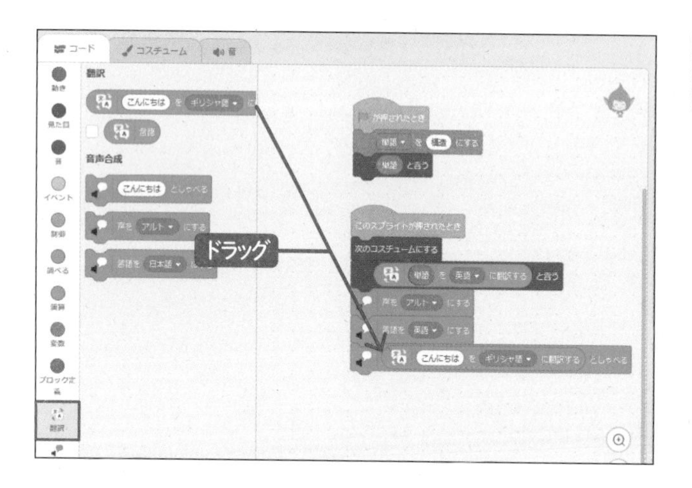

2 「翻訳」の「(こんにちは)を○に翻訳する」ブロックを「(こんにちは)としゃべる」ブロックの(こんにちは)の部分にドラッグして入れます。

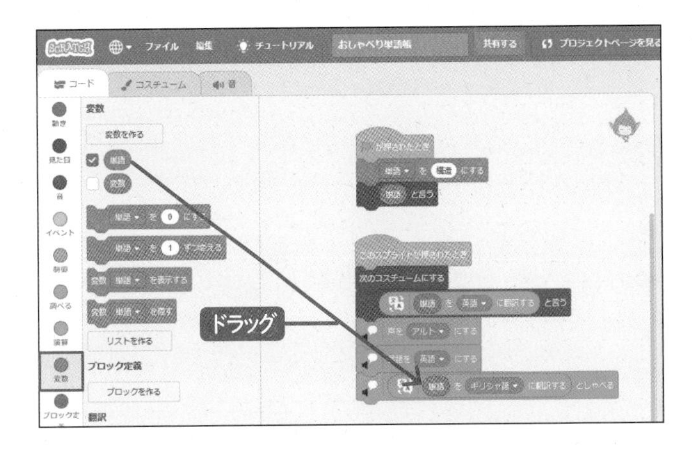

3 さらに、「変数」の「単語」をドラッグして、「(こんにちは) を○に翻訳する」ブロックの (こんにちは) の部分に入れます。

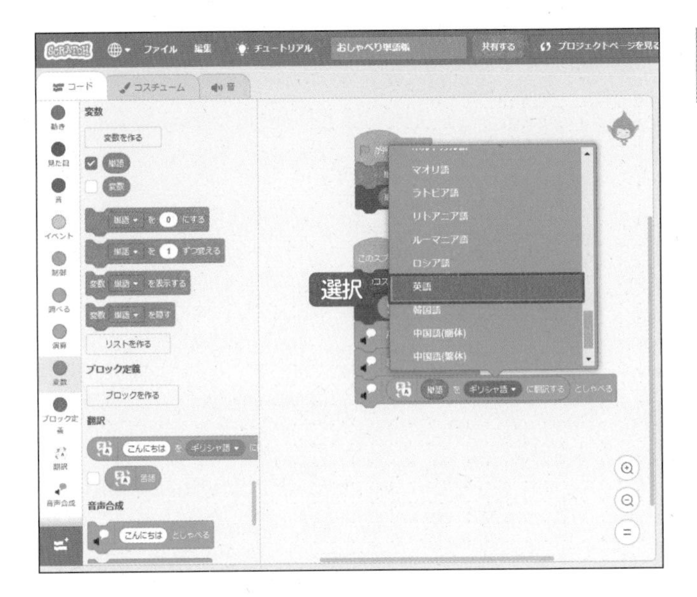

4 言語の種類を選べます。ここでは「英語」にしています。

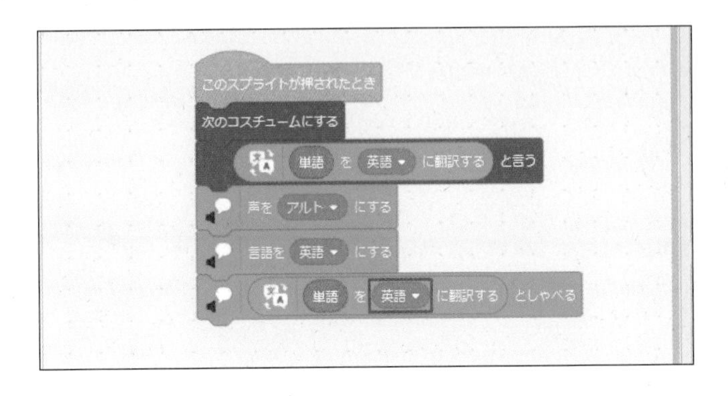

5 これで、「「(単語) を (英語) に翻訳する」としゃべる」ブロックのようになります。

7 プログラムを実行してみよう

ここまででプログラムは完成です。実行して試してみましょう。最初に緑の旗をクリックしてプログラムを実行し、スプライトをクリックして翻訳した単語を確認します。

プログラムを実行し、翻訳する

1 緑の旗をクリックすると、日本語の単語が「構造」と表示されます。

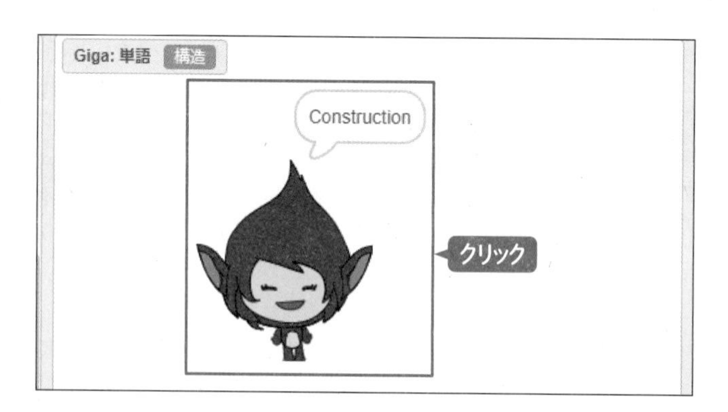

2 スプライトをクリックしてみましょう。翻訳された単語が表示され、合成音声で発音してくれます。このとき、スプライトがポーズも変えてくれます。

音が聞こえないときは

音声が聞こえない場合は、パソコンやタブレットのボリュームが小さくなっていたり、「ミュート（消音）」になっていたりしないか、確認してみましょう。下の画面は、Windowsパソコンの場合と、iPadの場合の例です。

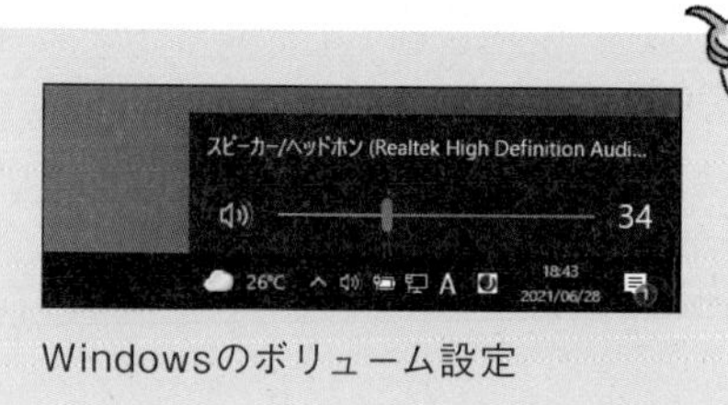

Windowsのボリューム設定

サウンド
着信音と通知音
ボタンで変更
着信音と通知音の音量はボリュームボタンを操作しても調節されません。

iPadのボリューム設定

8 背景を表示してみよう

ひととおりのプログラムができましたが、画面がさびしいので、背景を表示してみます。

背景を選んで表示する

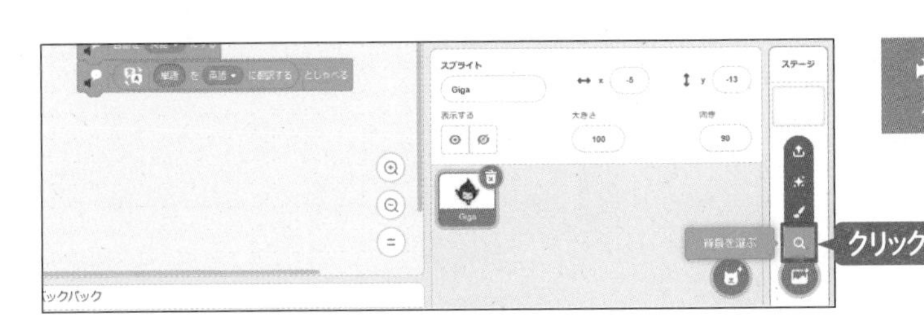

1 画面右下の「背景を選ぶ」にマウスポインターを合わせて、表示されたメニューの「背景を選ぶ」をクリックします。

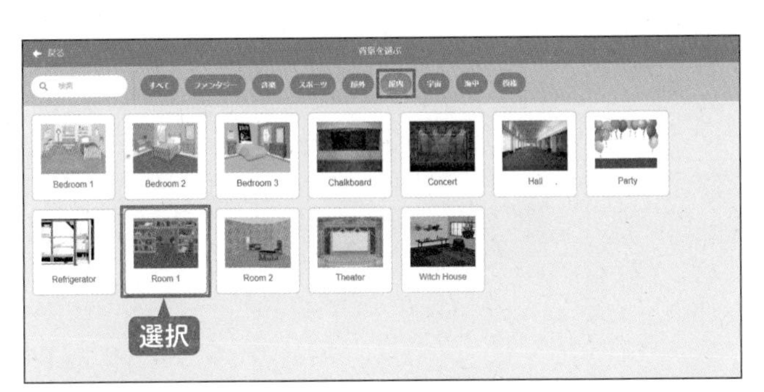

2 ここでは、「屋内」の「Room1」を選んでいます。

MEMO

背景に表示する画像は、自分の好みで選んでかまいません。気に入った背景があったら、選んでみましょう。

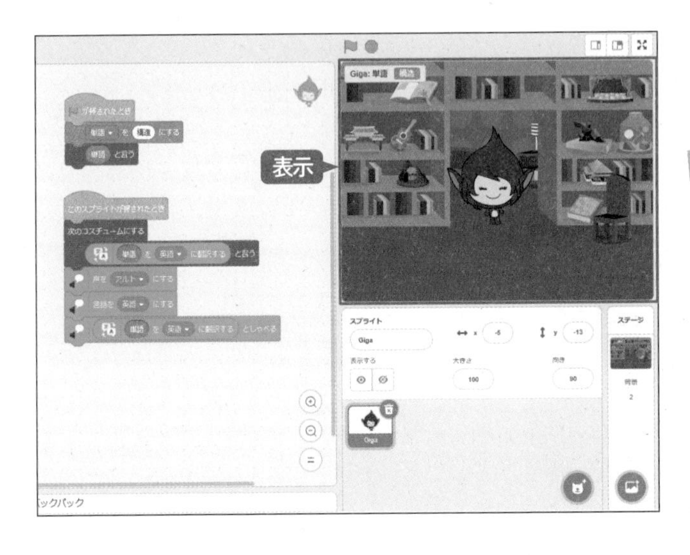

3 画面に背景が表示されました。

MEMO

自分で撮った写真を背景にすることもできます。画面右下の「背景を選ぶ」から「背景をアップロード」を選んでください。あらかじめパソコンに保存しておいた写真や、タブレットの写真フォルダから写真を選んで使うことができます。

9 単語の登録を増やそう

ここまでに作ったプログラムでは、1つの単語しか登録できません。覚えたい複数の単語を登録できるようにしてみましょう。複数のスプライトを登録して、それぞれに単語を覚えさせるようにしてみます。

スプライトを追加する

1 画面右下の「スプライトを選ぶ」にマウスポインターを合わせ、表示されたメニューの「スプライトを選ぶ」をクリックします。

2 ジャンルで「ファンタジー」を選択し、「Gobo」をクリックします。

3 「Gobo」が追加されました。ドラッグして好きな位置に移動しておきましょう。

プログラムをコピーして単語を入力する

1 ここに同じプログラムを作るのは面倒なので、Gigaで作ったプログラムをコピーします。スプライトの一覧で、「Giga」をクリックします。

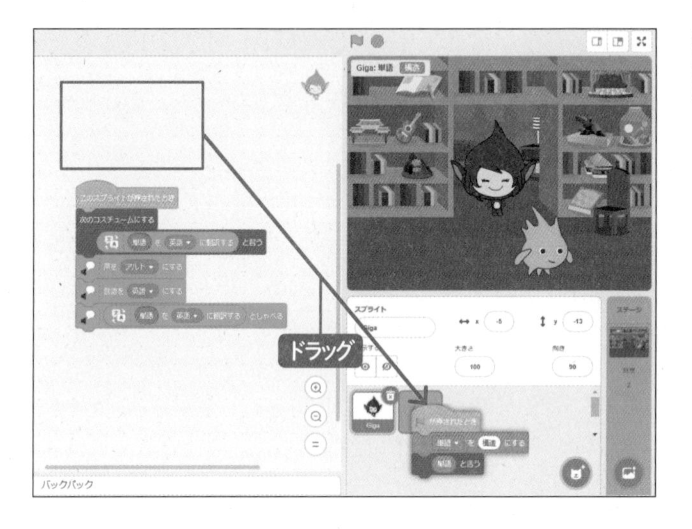

2 「緑の旗が押されたとき」ブロックに続くブロックのかたまりをスプライト一覧の「Gobo」の上までドラッグします。

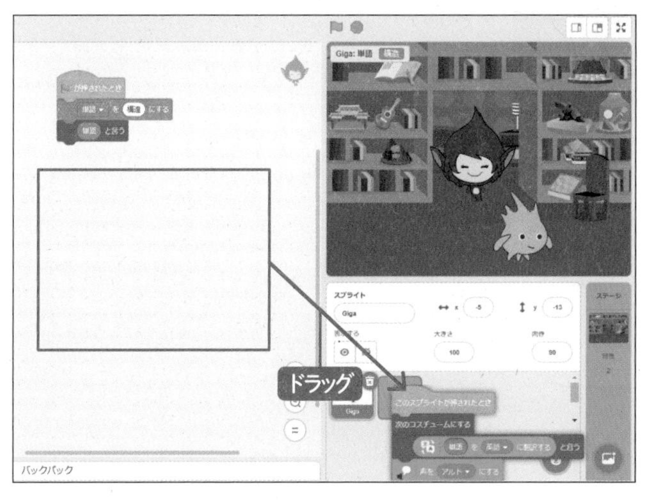

3 同じように「このスプライトが押されたとき」ブロックに続くブロックのかたまりをスプライト一覧の「Gobo」の上までドラッグします。

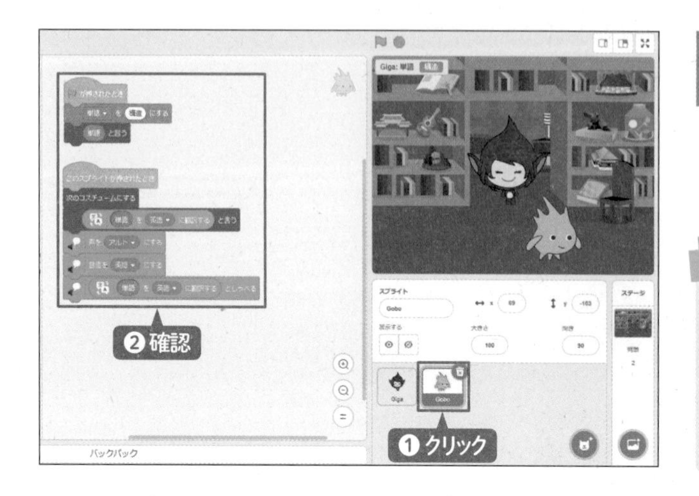

4 スプライト一覧の「Gobo」をクリックして、プログラムがコピーされていることを確認します。ブロックのかたまりの位置は、見やすいようにドラッグして調整しておきましょう。

MEMO

うまくできてないときは、もう一度試してみてください。スプライトのイラストの真上でドロップするのがポイントです。

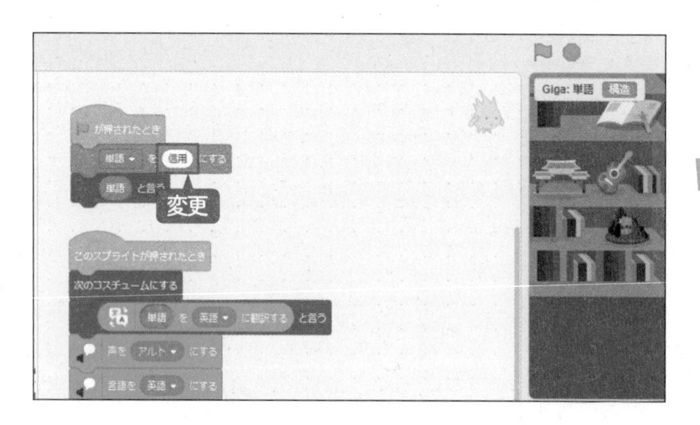

5 単語の表示内容を変えてみます。ここでは、「信用」としています。

MEMO

登録する単語は、自分で決めてかまいません。覚えたい単語を登録しておきましょう。

6 プログラムを実行して試してみましょう。緑の旗をクリックすると、日本語の単語がそれぞれ「構造」「信用」のように、表示されます。

7 「Giga」と「Gobo」それぞれのスプライトをクリックしてみましょう。翻訳された単語が表示され、合成音声で発音してくれます。

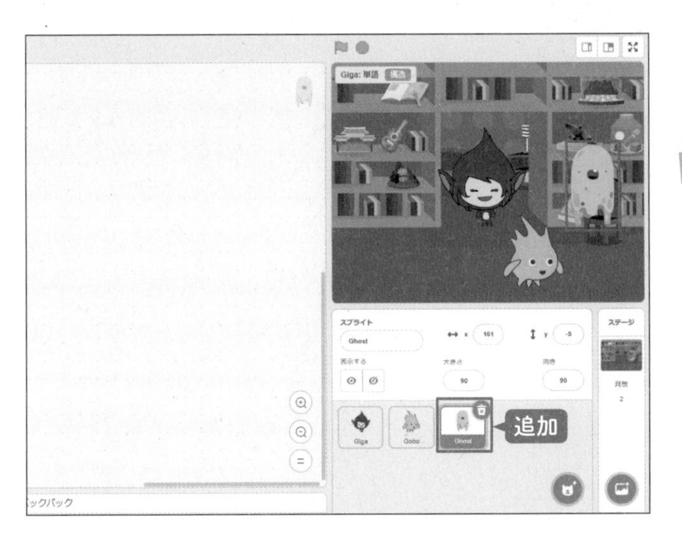

8 同様にして、さらにもう1つスプライトを追加してみました。

MEMO

スプライトは「大きさ」でサイズを変更することができます。

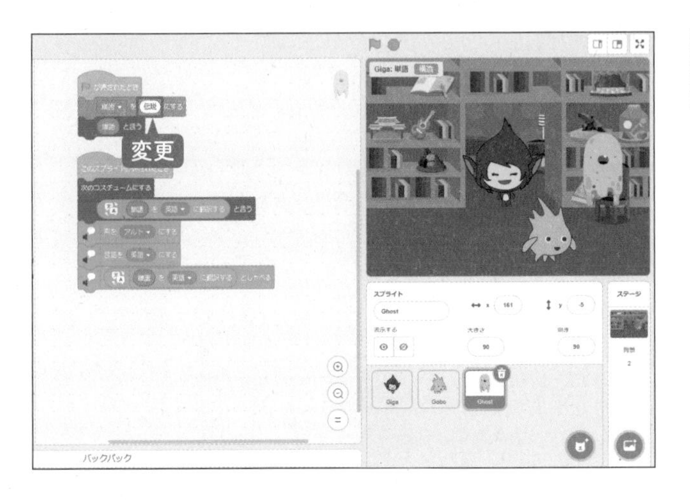

9 プログラムをコピーして、別の単語を登録します。

プログラムを実行して確認する

1 スプライトをクリックすると、順に英単語が表示され、発音も聞くことができます。

2 キャラクターをさらに増やしたり、声を変えてみたりして遊んでみましょう。

海外の人と会話したいときなど、リアルタイムに言葉を入力して翻訳できると便利です。「ゆび1本ではじめるScratch 3.0かんたんプログラミング［応用編］」（ジャムハウス刊）の中では、自動翻訳できるプログラムを紹介しているので、ぜひチャレンジしてみてください。

「DJごっこ」でリズム感をきたえよう

この章で作るのは、リズムゲームです。
リズム感を活かして、順に楽器をクリックしていくと、
かっこ良い音楽を作ることができます。
ここでは、新しく、「音楽」の拡張機能を追加して、
プログラムを作りはじめます。

この章のプログラムの考え方で重要なのが、
14ページで解説した「繰返処理」と、20ページの「並列処理」です。
音楽とプログラムは、実は似たところがあります。
楽譜の順番に音を出す、1つの曲の中で繰り返しがある、
複数の旋律が並行して流れるといった作り方は、プログラムも同様なのです。

※ここで紹介しているプログラムは「Scratchスタジオ」で公開しています。
URL：https://scratch.mit.edu/studios/30117475/

1 基本のプログラムのフローチャートを書いてみよう

プログラムは楽器ごとに作っていきます。どの楽器も、スプライトをクリックするとスタートして、基本のフレーズをずっと繰り返す内容になっています。

フローチャートを書く

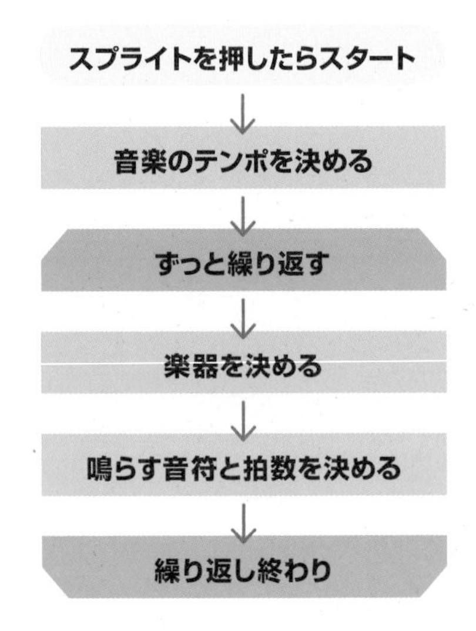

2 「音楽」の拡張機能を追加しよう

「音楽」の拡張機能を追加すると、さまざまな楽器の音や音階を使って、音楽を作ることができます。拡張機能の追加方法は、4章も参照してください。

拡張機能を追加する

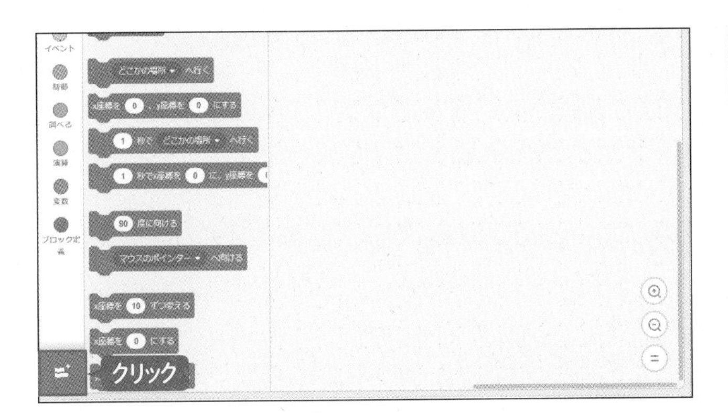

1 画面左下の「拡張機能を追加」をクリックします。

2 利用可能な拡張機能が表示されるので、「音楽」をクリックします。

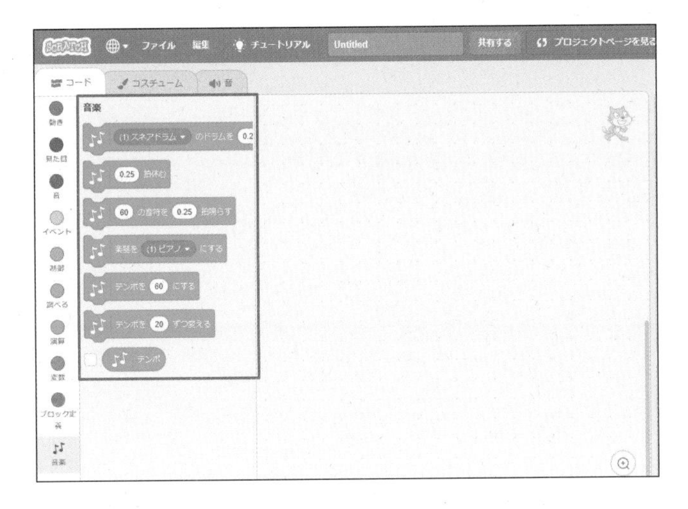

3 「音楽」のブロックが追加されました。

3 ベースの音楽を作ろう

楽器のベースの音楽を作ります。2つの音の繰り返しを4回ずつ、ずっと繰り返す内容にします。最初に、楽器をイメージするスプライトを追加します。

スプライトを追加する

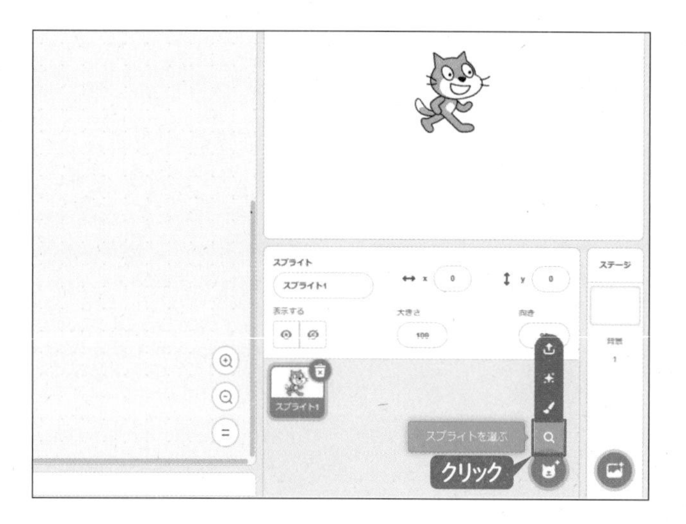

1 画面右下の「スプライトを選ぶ」にマウスポインターを合わせ、「スプライトを選ぶ」をクリックします。

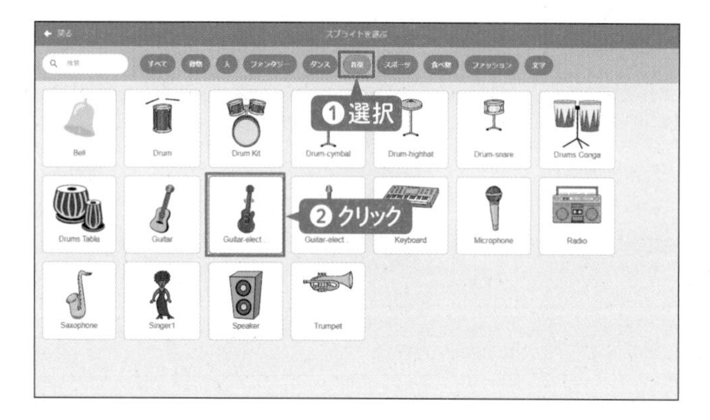

2 ジャンルで「音楽」を選択し、「Guiter electric」をクリックします。

MEMO

ベースギターがないので、見た目の似ている「Guiter electric」にします。

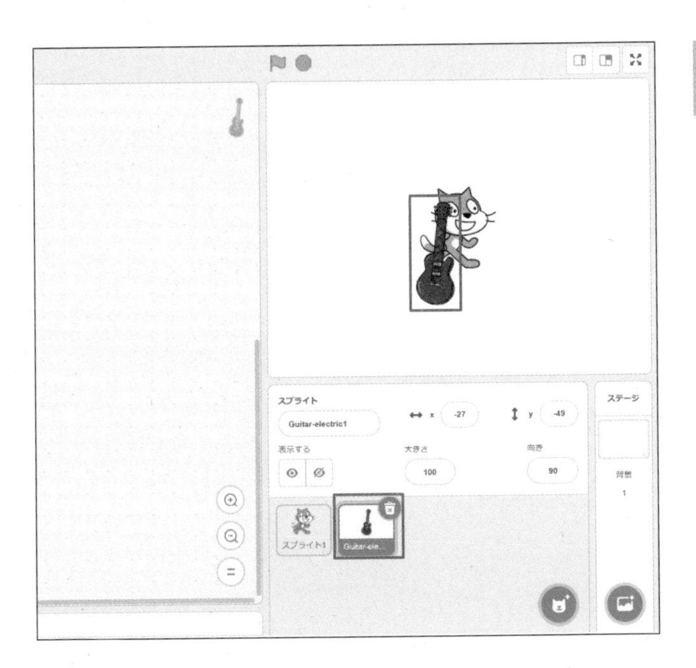

3 「Guiter electric」が追加されました。

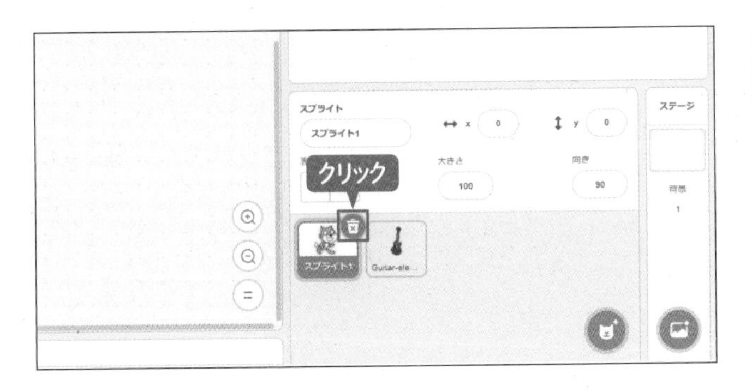

4 今回は、ネコを使わないので、消しておきます。「スプライト」でネコを選択し、右上のゴミ箱アイコンをクリックしてください。

ベースのプログラムを作る

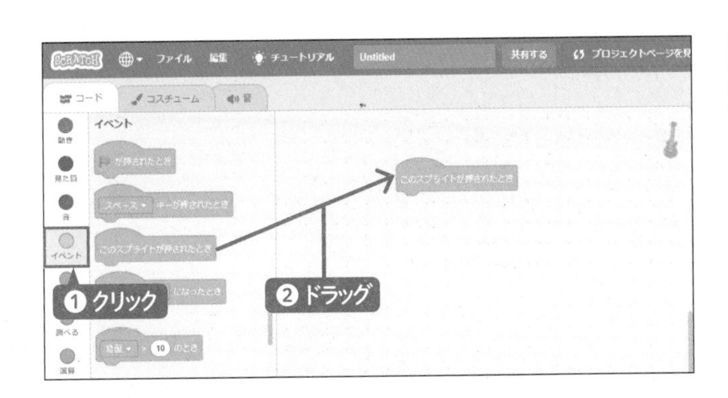

1 「イベント」をクリックして、「このスプライトが押されたとき」ブロックをコードエリアにドラッグします。

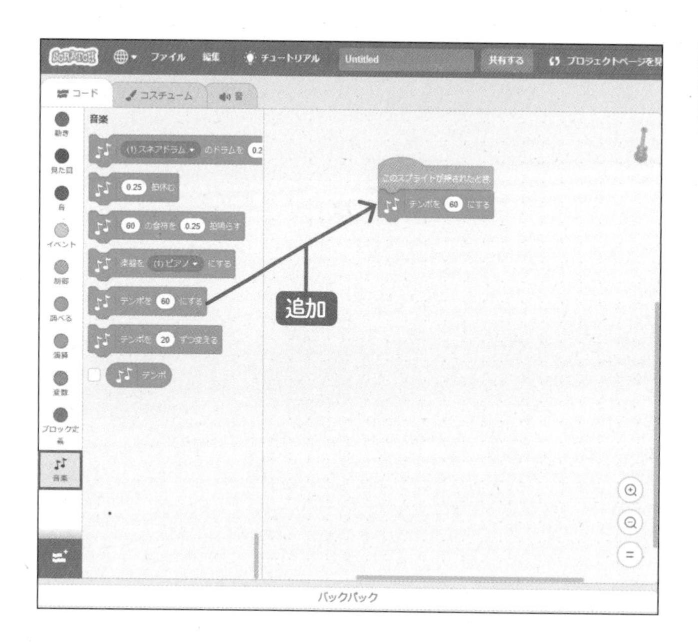

2

「音楽」の「テンポを○にする」ブロックを追加します。

3

○の中の数字を「120」にします。

MEMO

各楽器で、テンポの数字は同じにしておきます。テンポが違うと、リズムを合わせるのが難しくなります。

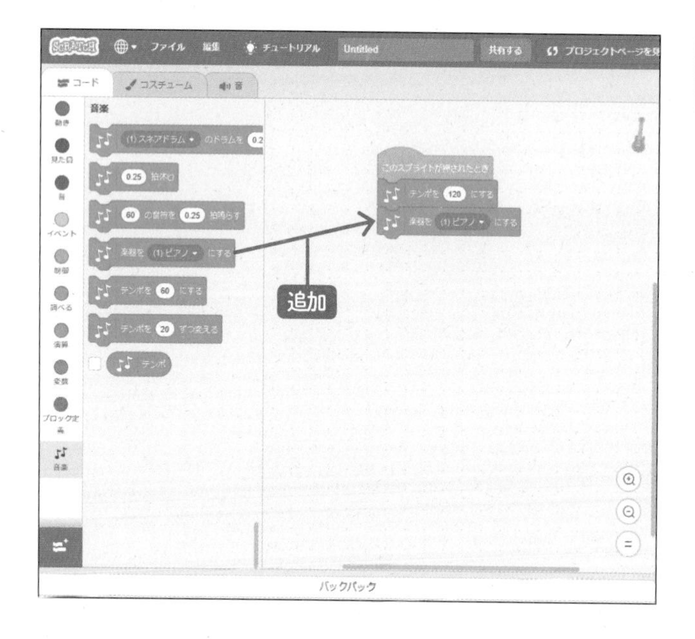

4

「楽器を○にする」ブロックを追加します。

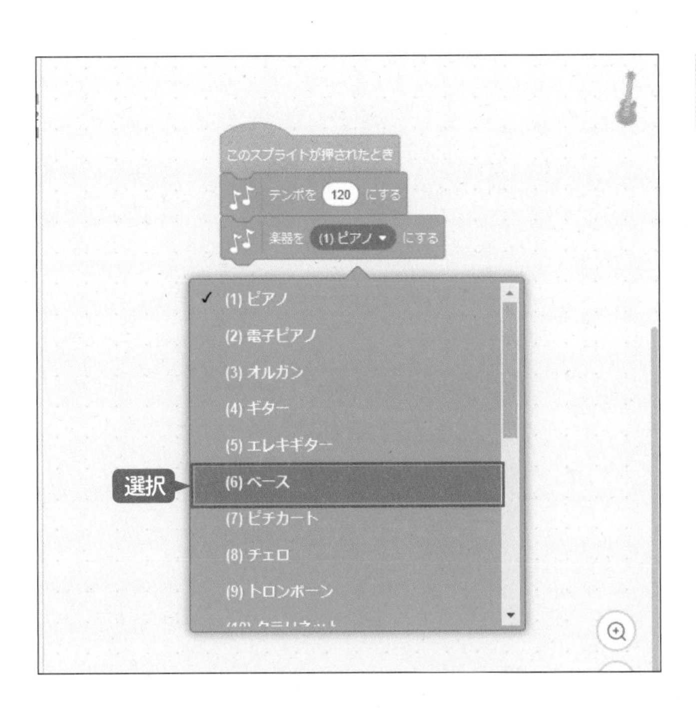

5 ○の中の楽器名を「(6) ベース」にします。

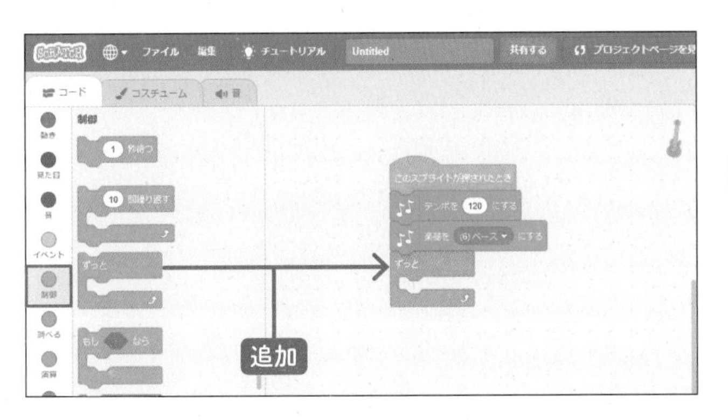

6 「制御」の「ずっと」ブロックを追加します。

MEMO

「ずっと」ブロックの中に入れたメロディーを繰り返すプログラムにします。

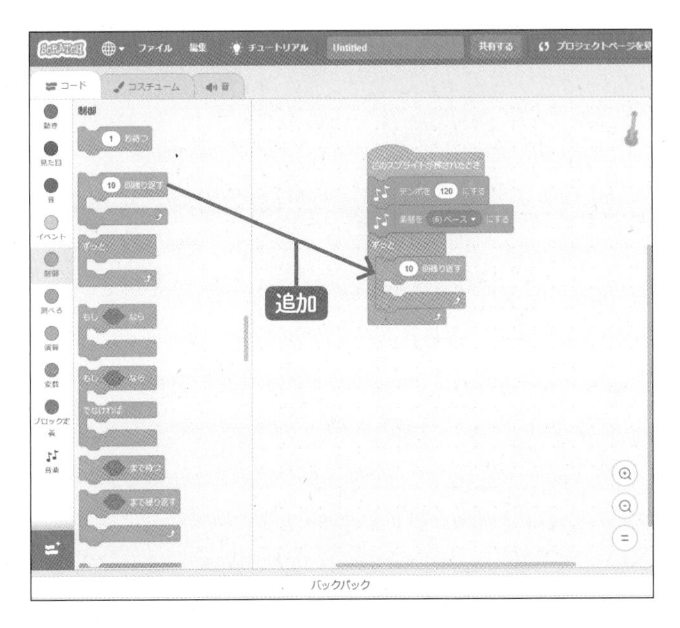

7 「○回繰り返す」ブロックを「ずっと」ブロックの中に追加します。

8 ○の中の数字を「4」にします。

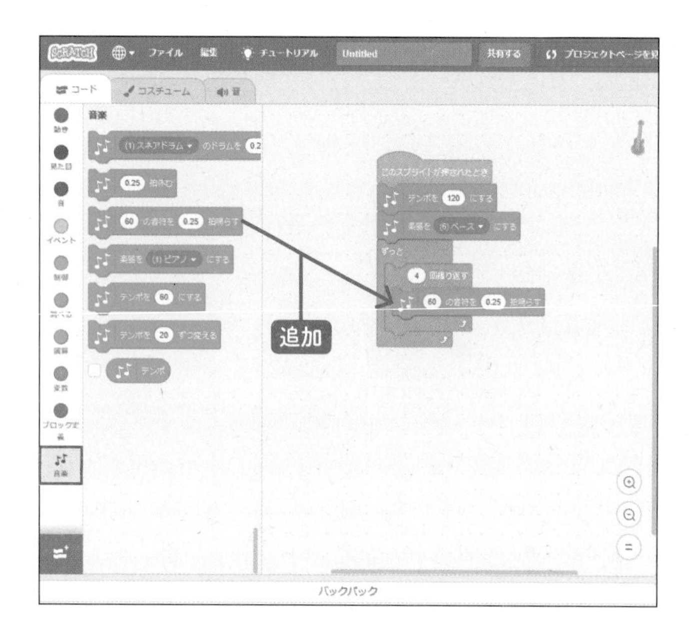

9 「音楽」の「○の音符を○拍鳴らす」ブロックを「4回繰り返す」ブロックの中に追加します。

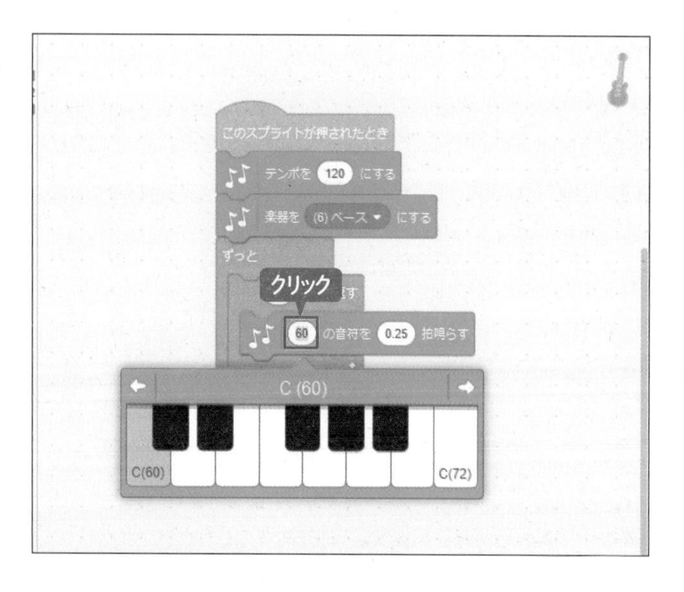

10 左の○をクリックすると、鍵盤が表示されます。

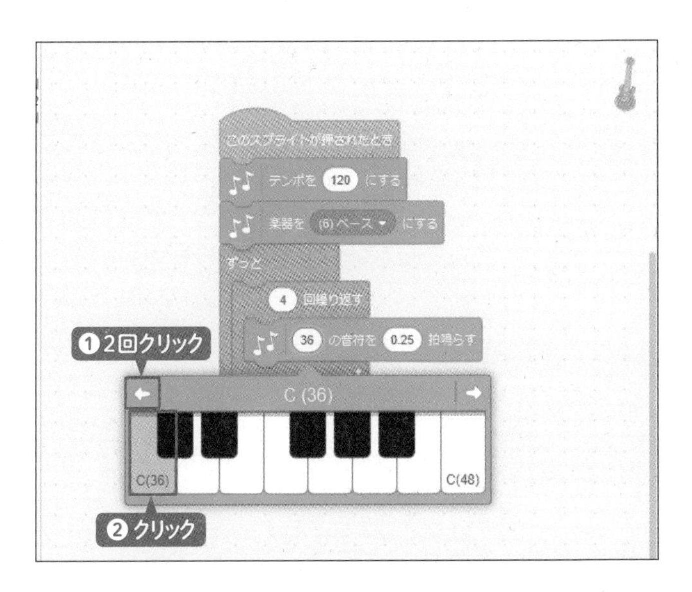

11 「←」をクリックするとオクターブが下がり、「→」をクリックすると、オクターブが上がります。ここでは、「←」を2回クリックして、一番左のドの音「C (36)」をクリックします。

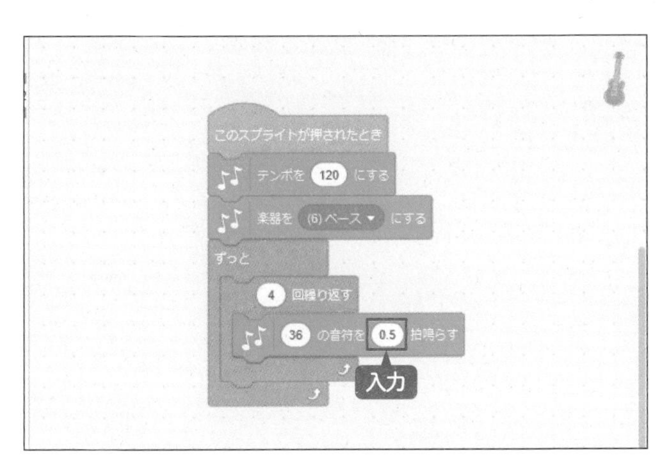

12 右の○をクリックして「0.5」と入力し、「36の音符を0.5拍鳴らす」とします。

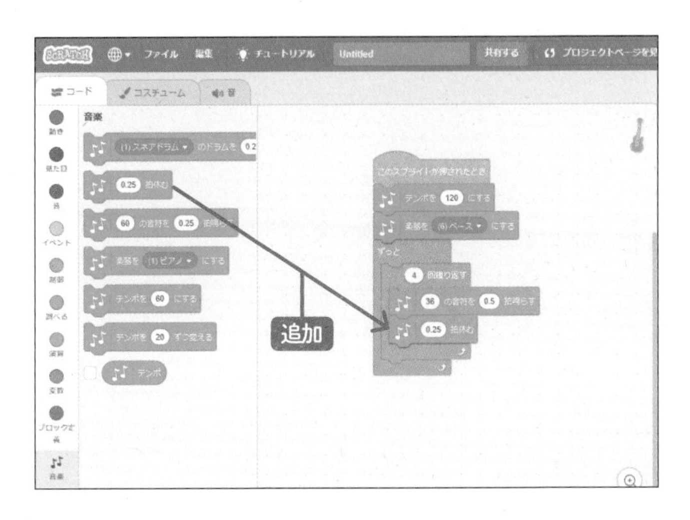

14 「○拍休む」ブロックを追加します。

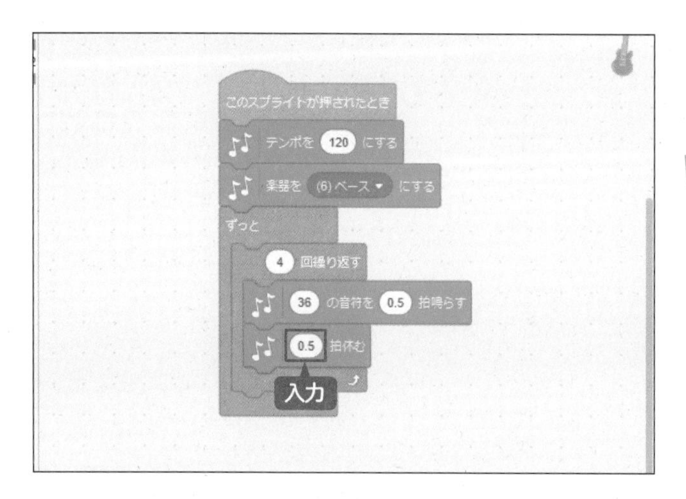

15 ○をクリックして、「0.5」と入力します。

MEMO

これで、低いドの音を1小節の中で4回繰り返すことになります。

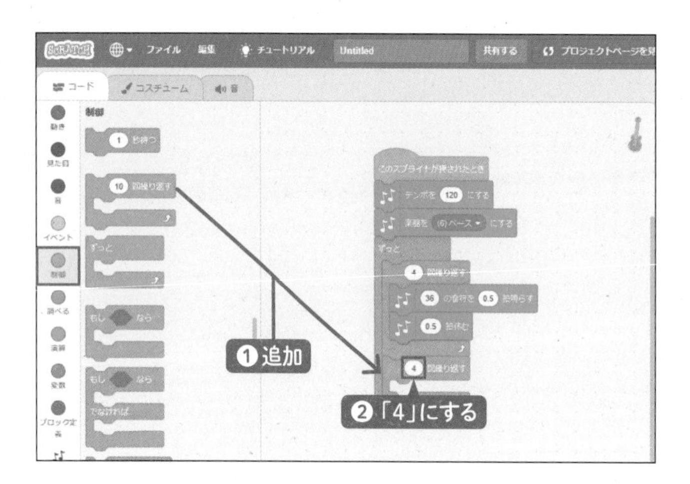

16 その下に「制御」の「○回繰り返す」ブロックを追加して、○の中の数字を「4」にします。

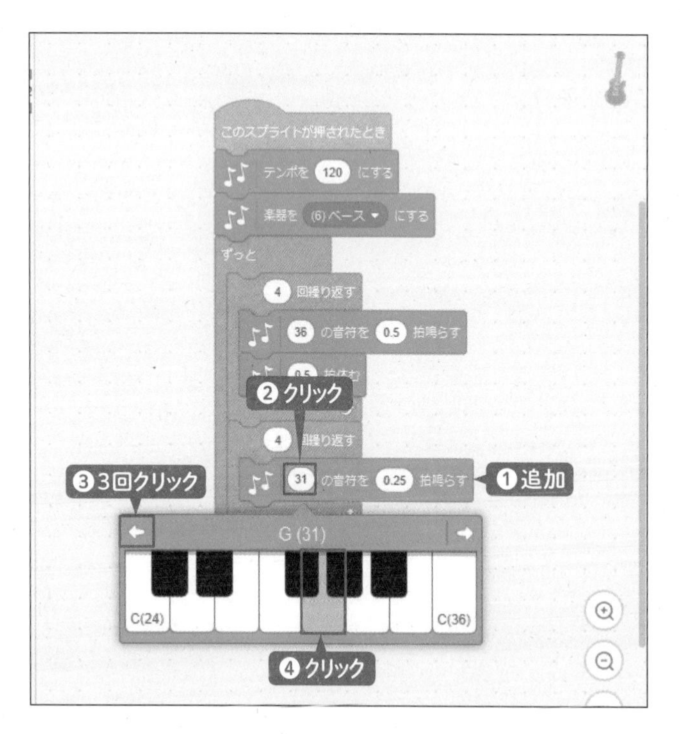

17 「音楽」の「○の音符を○拍鳴らす」ブロックを「4回繰り返す」ブロックの中に追加します。左の○をクリックし、「←」を3回クリックして、もう1オクターブ低いソの音「G(31)」をクリックします。

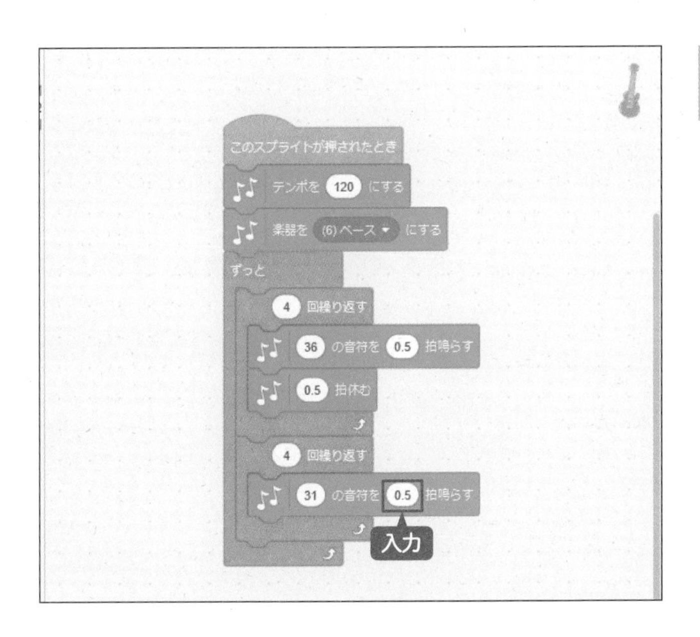

18 右の○をクリックして「0.5」と入力し、「31の音符を0.5拍鳴らす」とします。

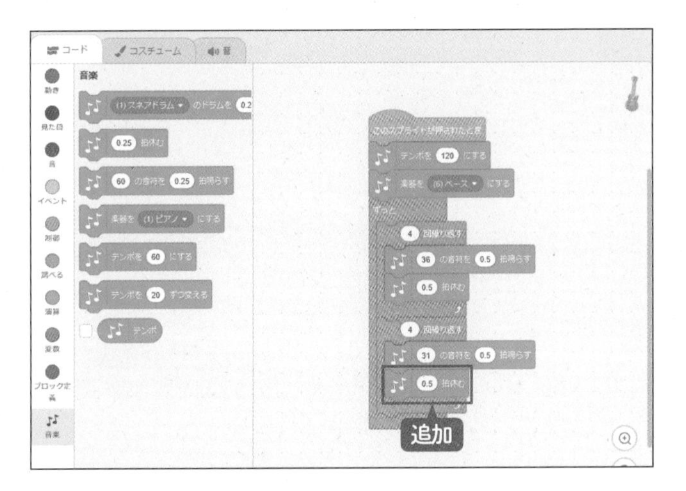

19 「○拍休む」ブロックを追加して、「0.5拍休む」のようにします。これで、ベースのメロディはできました。

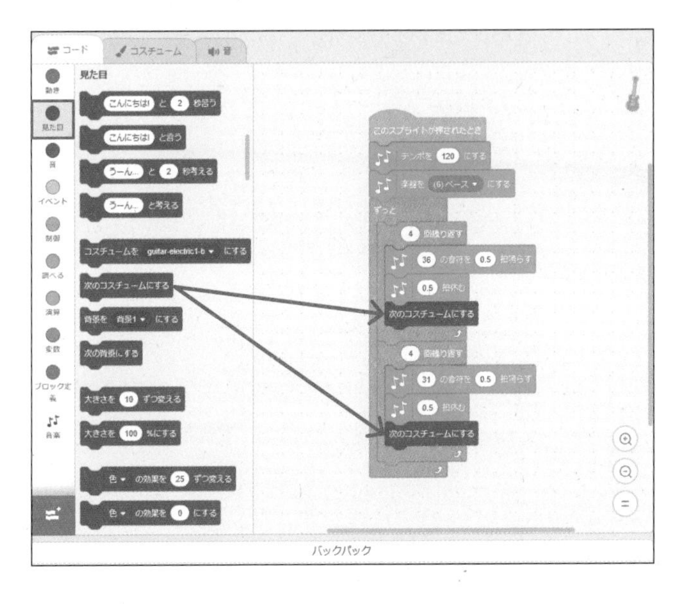

20 「Guiter electric」には、2つのコスチュームが用意されているので、音が鳴る度に変わるよう、「見た目」の「次のコスチュームにする」を、「0.5拍休む」の後にそれぞれ追加します。

4 ドラムの音楽を作ろう

ドラムの音楽を作ります。一定のリズムをずっと繰り返すようにしています。ドラムの場合だけ、楽器の選び方が少し違います。

ドラムのプログラムを作る

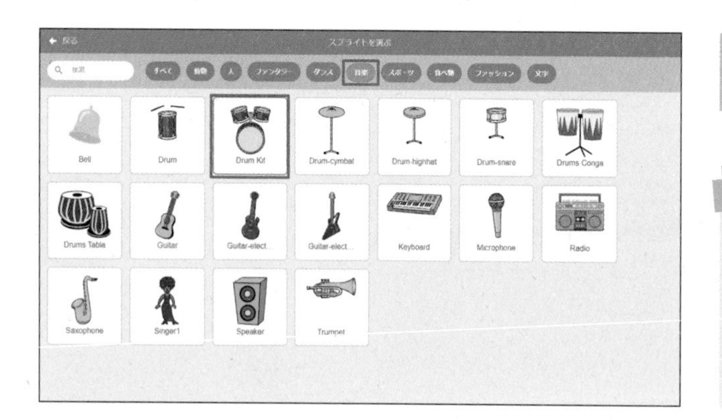

1 「スプライトを選ぶ」で、ジャンルの「音楽」から「Drum Kit」を追加します。

MEMO

スプライトの位置は自由に変更できます。ステージ上のスプライトをドラッグして、楽器同士が重ならないよう移動しておきましょう。

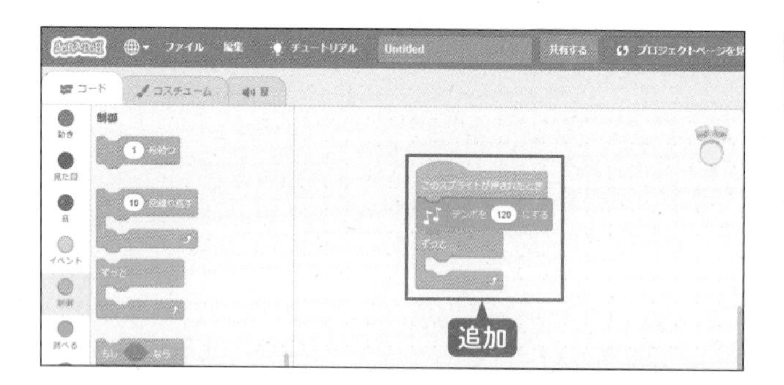

2 87～89ページと同じ手順で、「このスプライトが押されたとき」「テンポを120にする」「ずっと」ブロックを追加します。

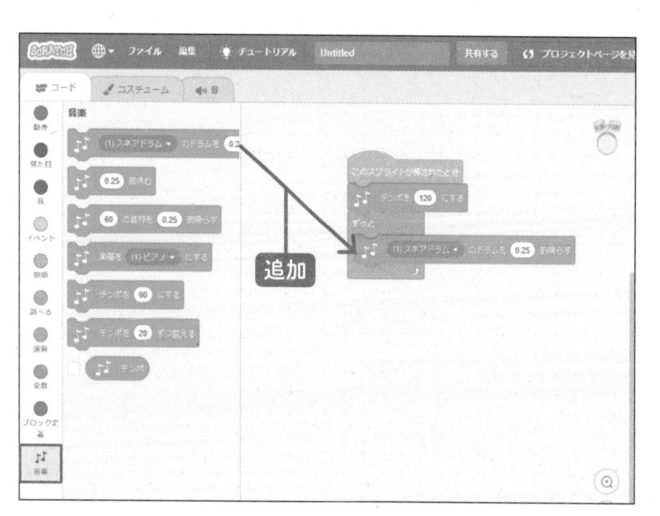

3 「音楽」の「○のドラムを○拍鳴らす」ブロックを「ずっと」ブロックの中に追加します。

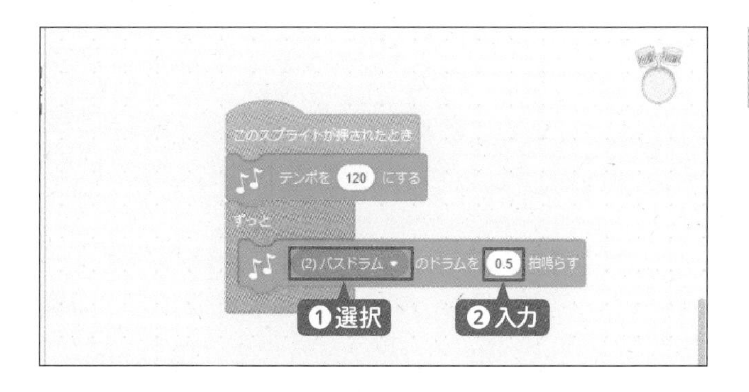

4 左の○をクリックして、「(2) バスドラム」を選び、拍の数字も入れて、「(2) バスドラムを0.5拍鳴らす」のようにします。

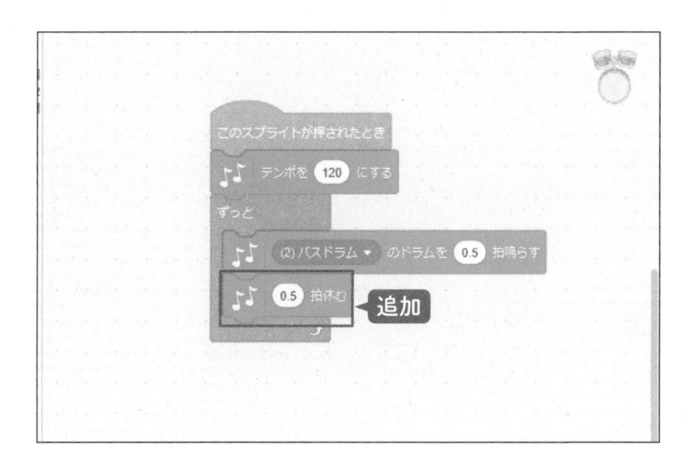

5 「○拍休む」ブロックを追加して、「0.5拍休む」のようにします。これで、ドラムのリズムはできました。

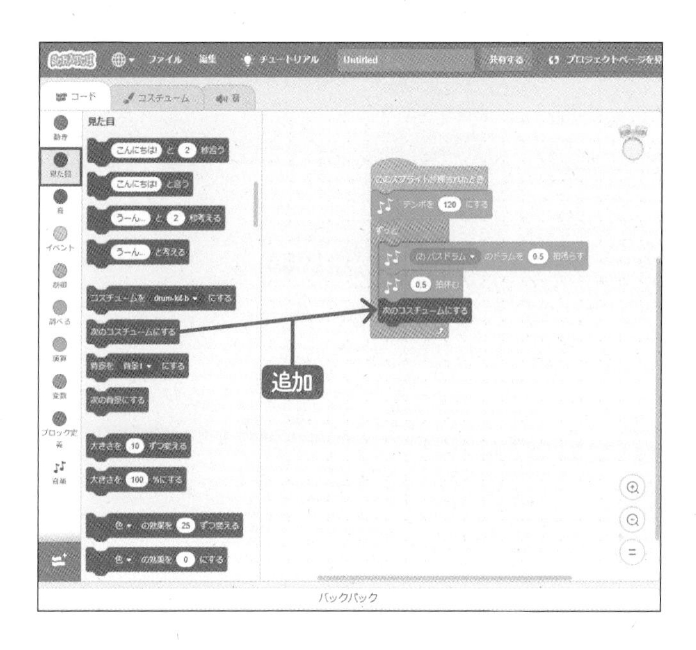

6 ドラムもコスチュームを変更するため、「見た目」の「次のコスチュームにする」を「0.5拍休む」の後に追加します。

5 他の楽器の音楽を作ろう

作例では、他にギター、キーボード、ボーカルのパートも作っています。作り方はベースと同じなので、それぞれスプライトを選んで、楽器を選んだら、画面を参考に「○の音符を○拍鳴らす」ブロックを追加していきましょう。

ギターのプログラムを作る

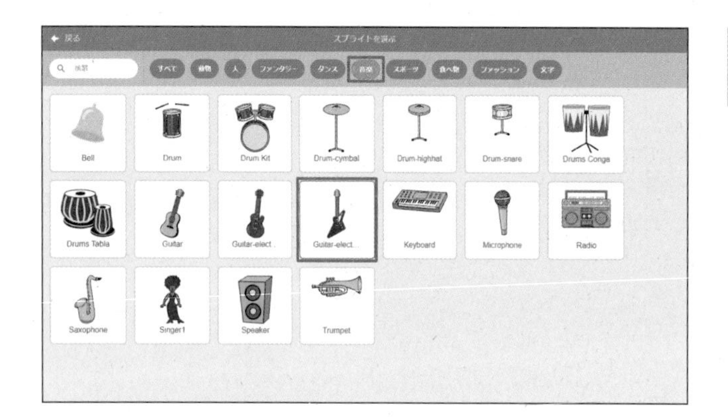

1 「スプライトを選ぶ」で、ジャンルの「音楽」から「Guiter electric2」を追加します。

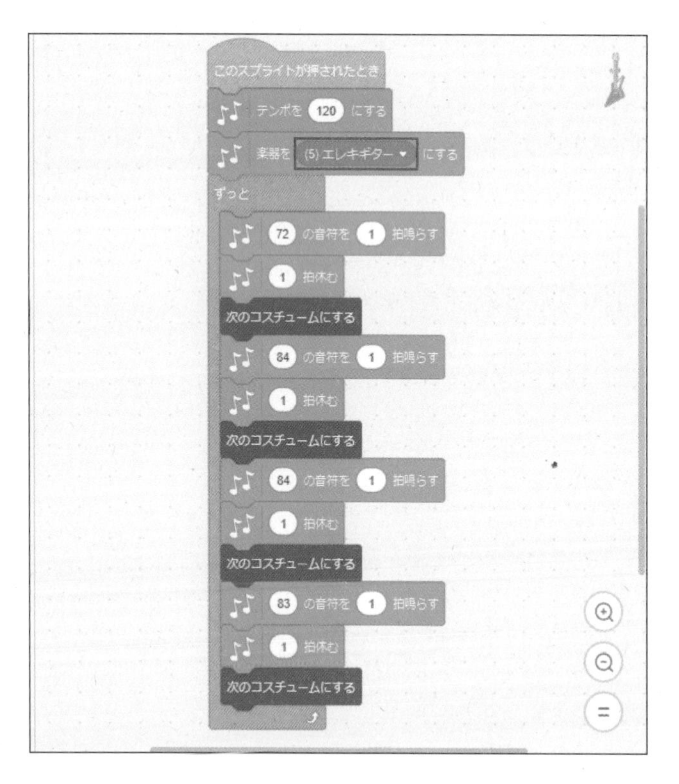

2 「コード」画面に、図のようなプログラムを作ります。「楽器」を「(5)エレキギター」にしています。

キーボードのプログラムを作る

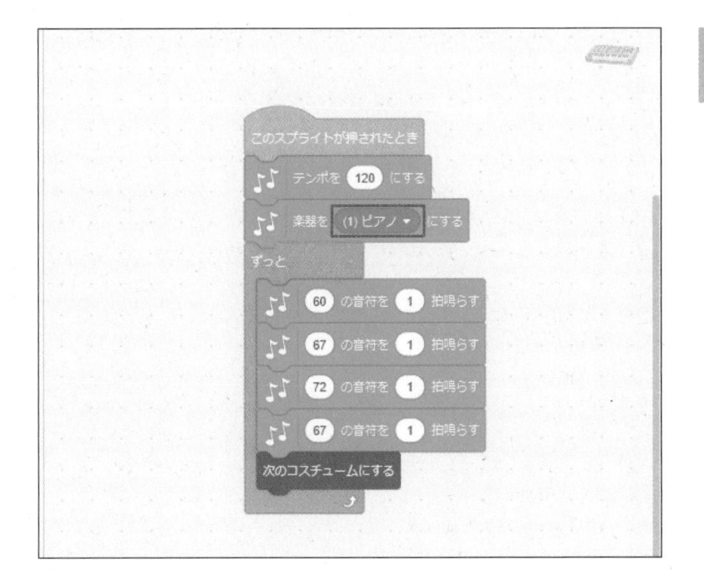

1 左ページの1と同様に、「スプライトを選ぶ」で、ジャンルの「音楽」から「Keyboard」を追加したら、「コード」画面に、図のようなプログラムを作ります。「楽器」を「(1)ピアノ」にしています。

ボーカルのプログラムを作る

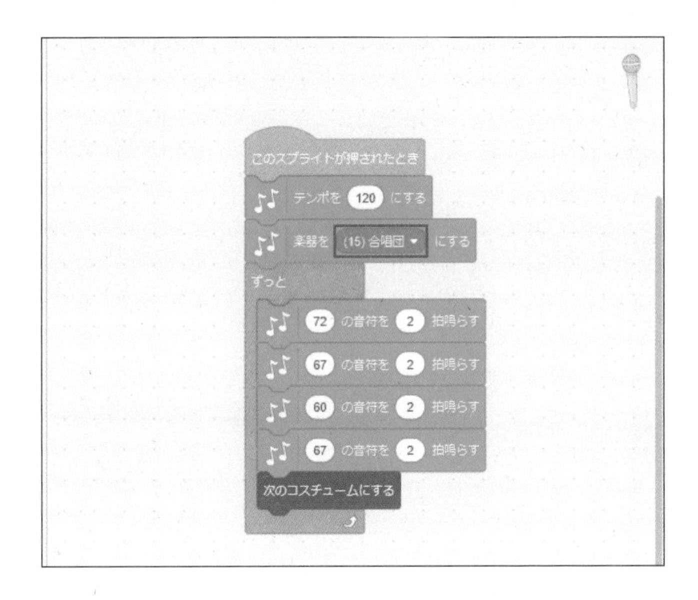

1 左ページの1と同様に、「スプライトを選ぶ」で、ジャンルの「音楽」から「Microphone」を追加したら、「コード」画面に、図のようなプログラムを作ります。「楽器」を「(15)合唱団」にしています。

6 演奏してみよう

プログラムが完成したら、演奏してみましょう。まずは、リズムを刻むドラム、ベースからスタートすると、タイミングを合わせやすくなります。

スプライトを順にクリックする

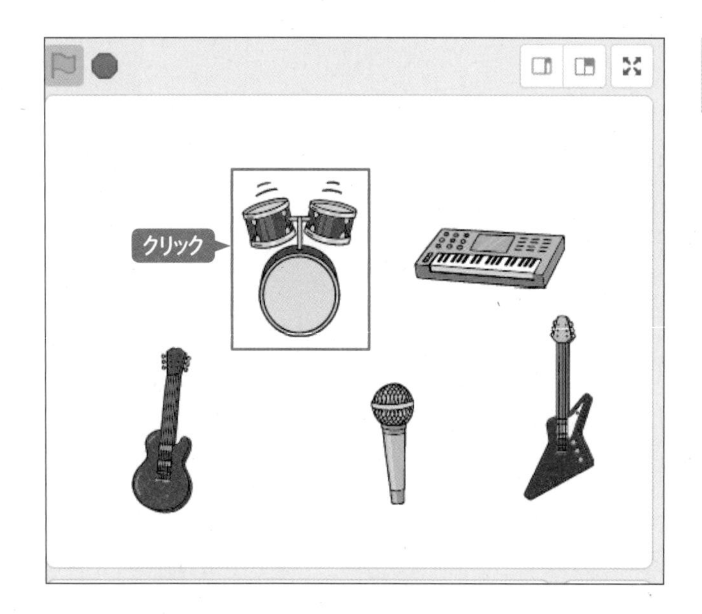

1 ドラムのスプライトをクリックします。ドラムのリズムが鳴り始めます。

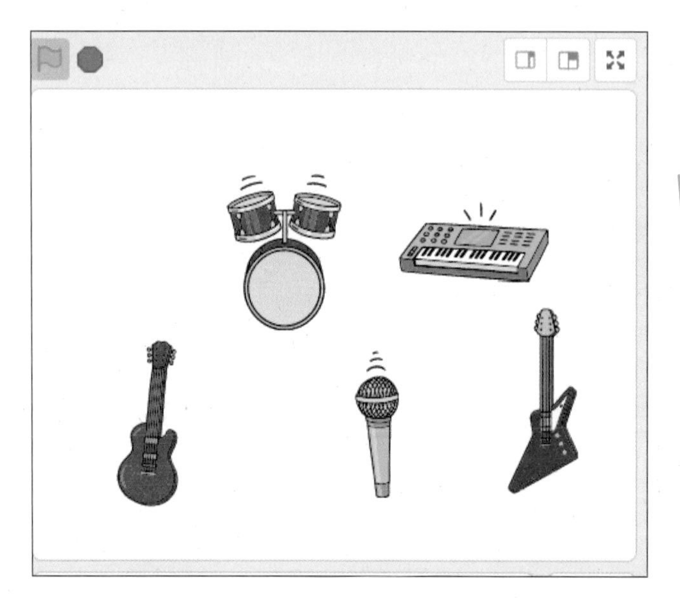

2 ベース、ギター、キーボード、ボーカルの順にクリックして鳴らしていきましょう。

MEMO

リズムに上手くのりながら、それぞれの楽器をスタートすると、上手く演奏することができます。タイミングを合わせてやってみましょう。

7 リズムやメロディーを変えてみよう

リズムやメロディーを自分好みに変えてみましょう。下の例では、メロディを変えたほか、ドラムのリズムをより複雑にしています。さらに、背景に「Concert」を表示しています。

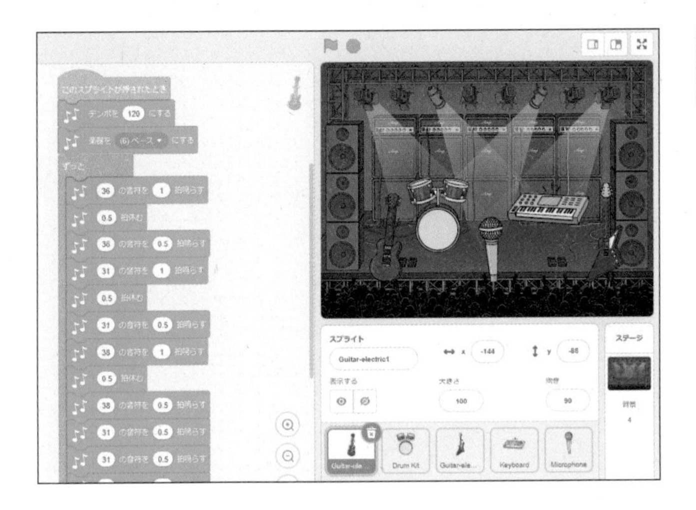

1 背景に「屋内」の「Concert」を表示しています。背景の変更方法は、77ページを参考にしてください。

● ベースのプログラム

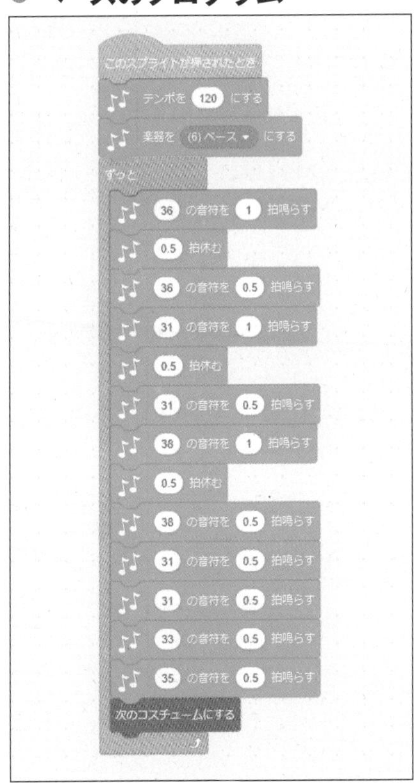

● ドラムのプログラム

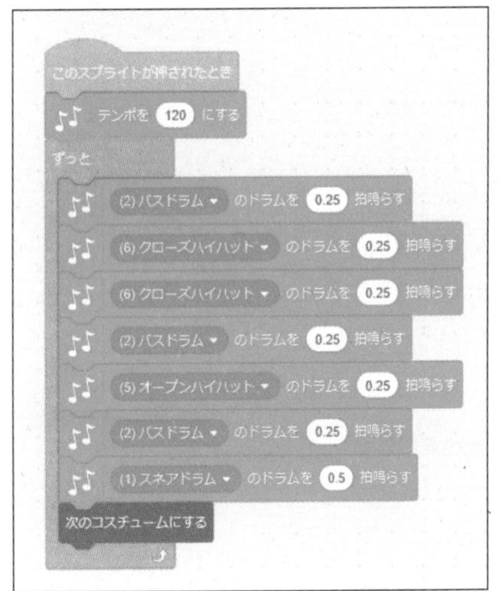

● ギターのプログラム

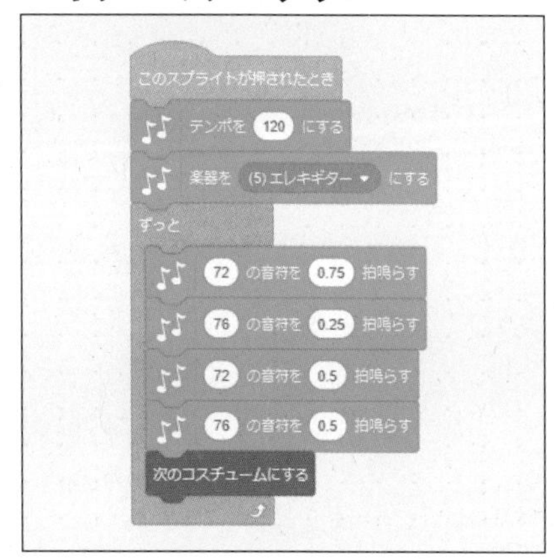

● キーボードのプログラム

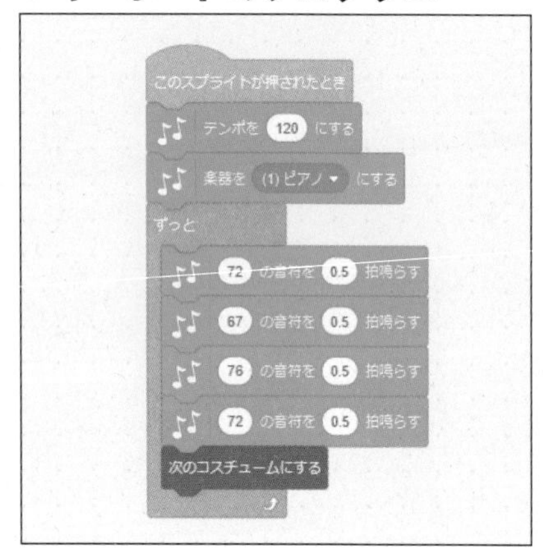

● ボーカルのプログラム

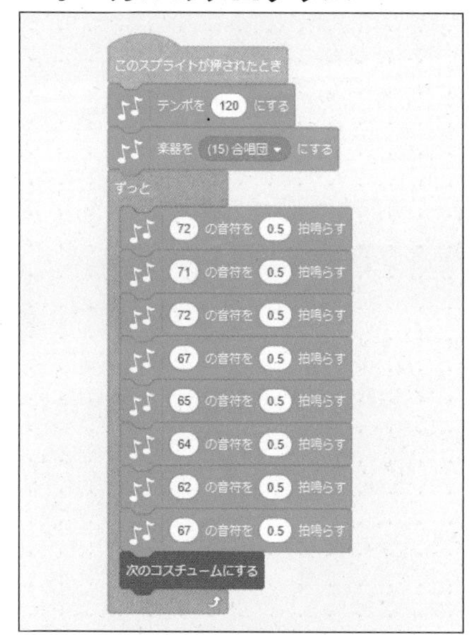

「観戦バスツアー」で最適なルートを考えよう

あなたはバスの運転手になって、
道沿いで待っているお客さんを全員乗せて、ゴールの野球場に向かいます。
どのルートを選ぶかはあなた次第。
論理的・効率的に、最短ルートを考えてみましょう。
ゴールすると、タイムが表示されるので、友だちや家族と、
誰がいちばん速いか競ってみましょう。

今回のプログラムで学ぶのは、18ページで解説した「分岐処理」です。
もしバスが道から外れようとすると、戻されます。
バスがお客さんに近づくと、乗せることができます。
そして、全員乗せた状態で、野球場に到着すると、ゴールすることができます。
一人でも乗せ忘れがあると、ゴールできません。

さらに、サウンドやBGMでゲームを盛り上げる方法も考えてみましょう。

※ここで紹介しているプログラムは「Scratchスタジオ」で公開しています。
URL：https://scratch.mit.edu/studios/30117475/

1 基本のプログラムのフローチャートを書いてみよう

今回のプログラムでは、複数のスプライトが、それぞれ違う働きをします。フローチャートはスプライトごとに作っておきます。

フローチャートを書く

● バス

バスは、画面上でマウスポインターがある方向、あるいはタブレット画面でタップされた方向に向かって進みます。そして、道路からはみ出しそうになったら、元に戻されます。

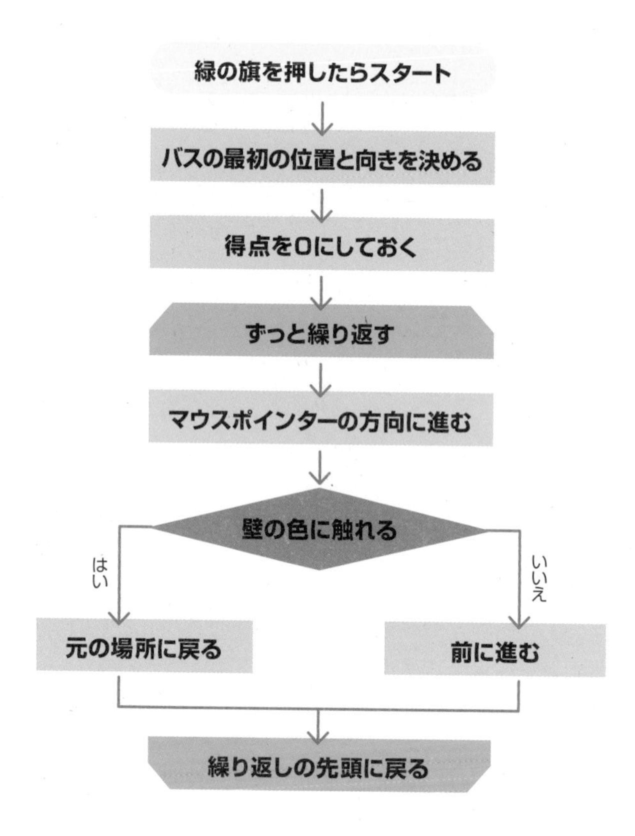

● 乗客

乗客は3人いますが、基本のプログラムは同じです。

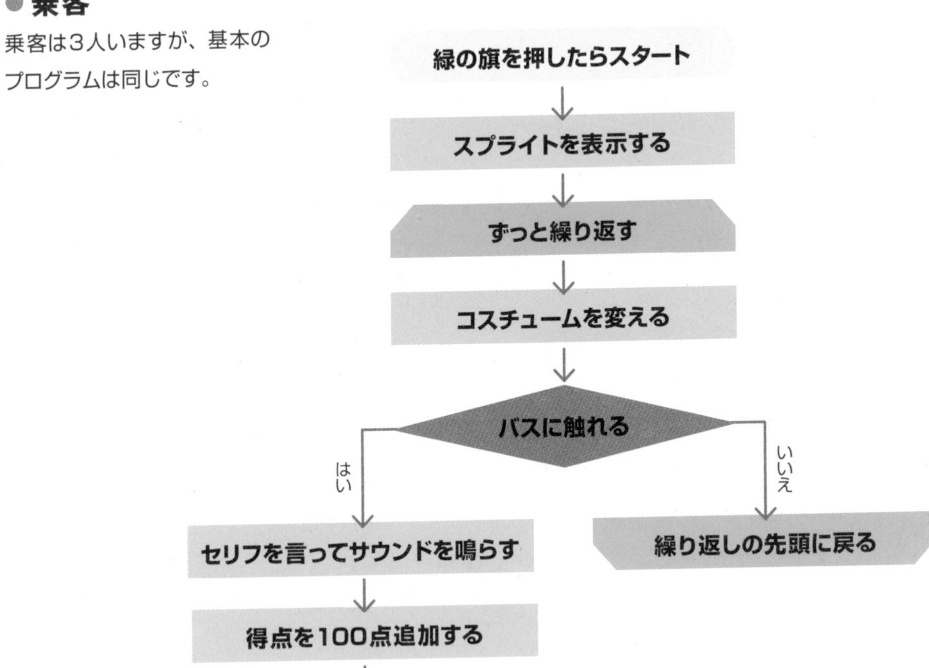

● 野球場

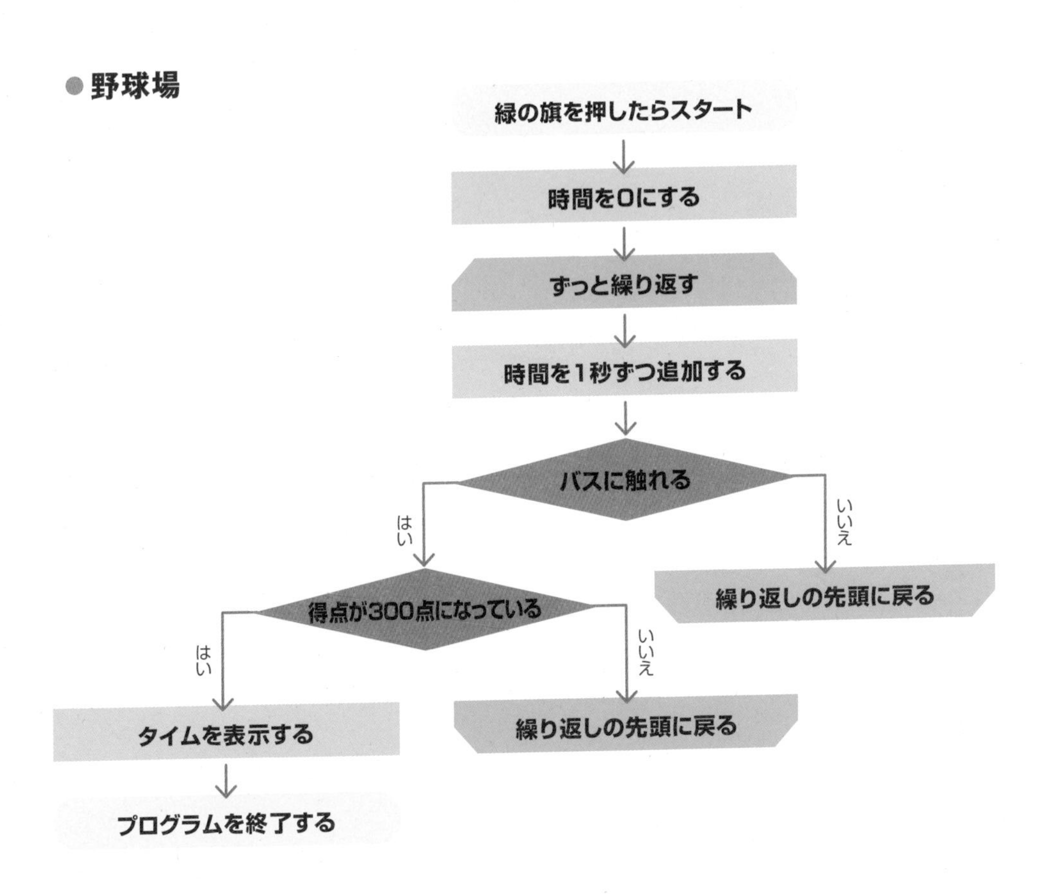

2 野球場までのマップを作ろう

最初に、野球場までのマップを作ります。背景の色を決めて、違う色で道路を描いていきましょう。

背景の色を決めて四角形を描く

1 ネコのスプライトは使わないので、右上のゴミ箱アイコンをクリックして消します。

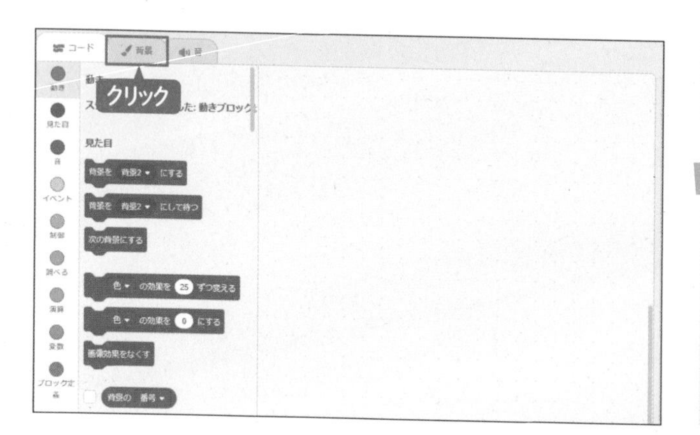

2 背景が選択された状態になります。左上の「背景」をクリックします。

MEMO

スプライトが選択された状態で背景を描画したい場合は、画面右下の「背景を選ぶ」にマウスポインターを合わせて、表示されたメニューの「描く」をクリックします。

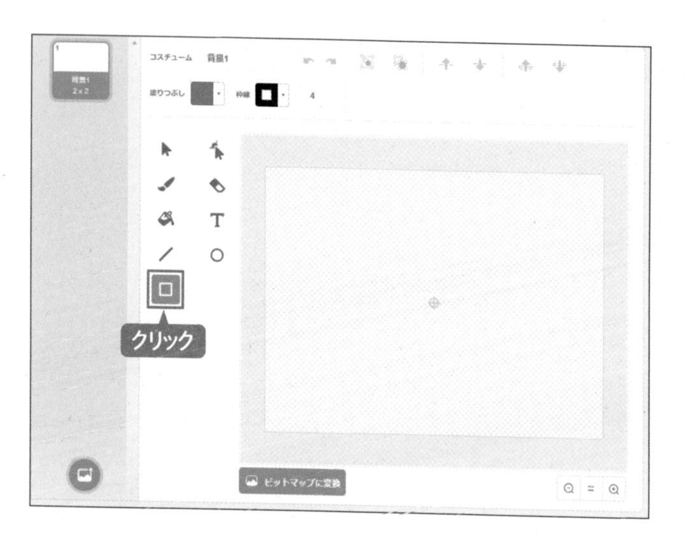

3 この画面にマップを描きます。左側に画面に絵を描くためのボタンがあります。「四角形」ボタンをクリックします。

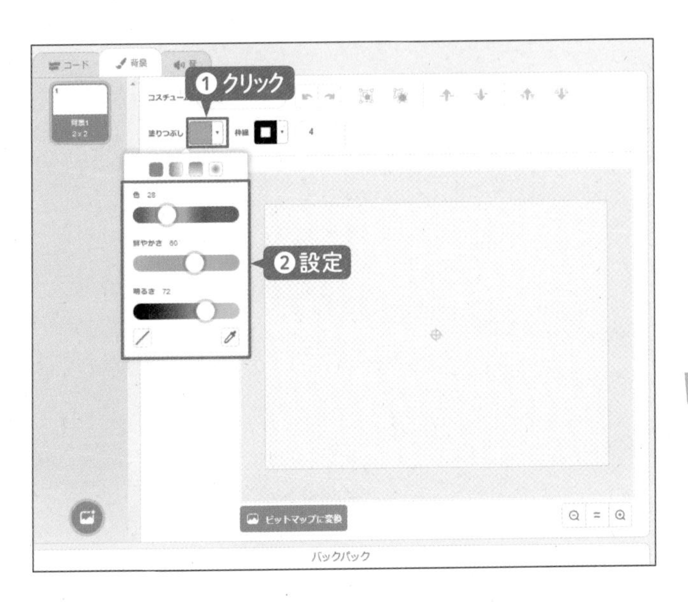

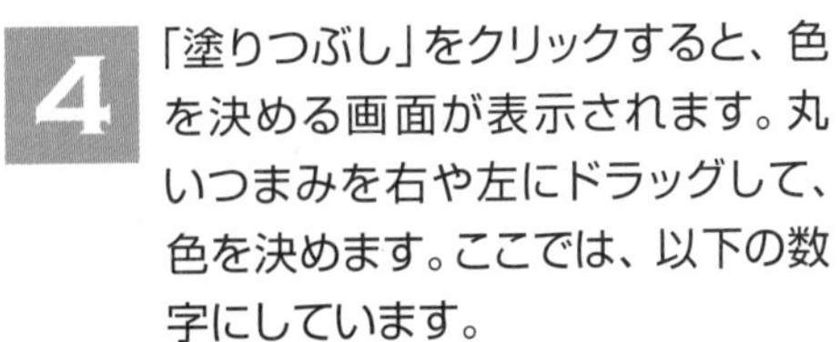

4 「塗りつぶし」をクリックすると、色を決める画面が表示されます。丸いつまみを右や左にドラッグして、色を決めます。ここでは、以下の数字にしています。

・色　28
・鮮やかさ　60
・明るさ　72

MEMO
色は、自由に決めてかまいません。ここでは、草地をイメージした緑色にしています。

5 次に「枠線」をクリックします。四角を囲む枠線の色を決めます。ここでは、枠線は使わないので、赤の斜線を選んでいます。

MEMO
赤の斜線は、「枠線なし」の意味です。

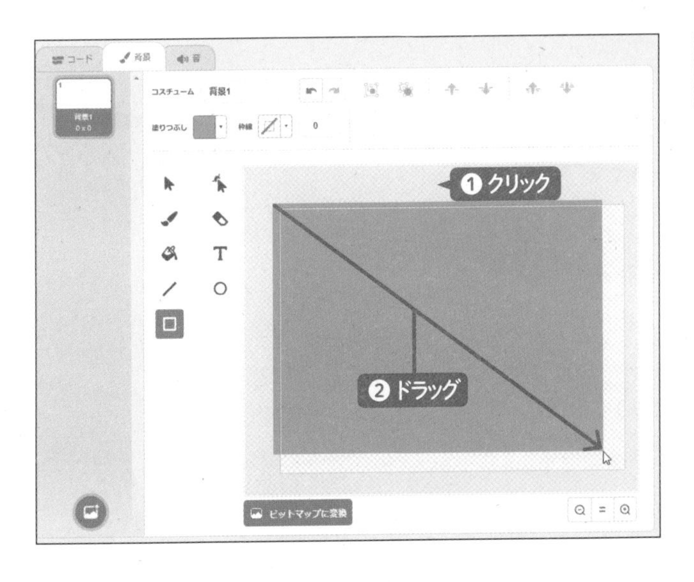

6 画面の何もないところをクリックします。色の選択画面が消えます。画面の左上から右下までドラッグし、大きな四角形を描きます。

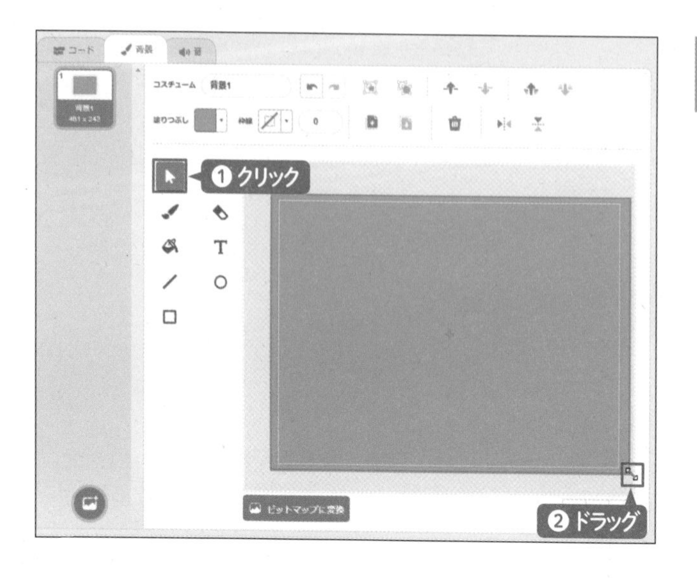

7 「選択」ボタンをクリックして、四角をなるべく画面いっぱいまで広げます。四角のまわりに表示されている●マークを外側に向けてドラッグしてみてください。

道路を太い直線で描く

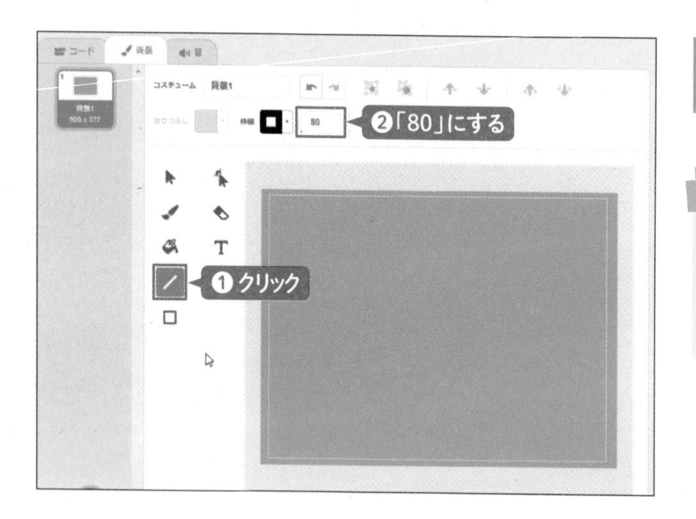

1 道路を描きます。「直線」ボタンをクリックしたら、線の太さを決めます。ここでは、「80」にしています。

MEMO

線の太さ＝道路の太さになります。道路が太いほど、バスを操作しやすくなります。

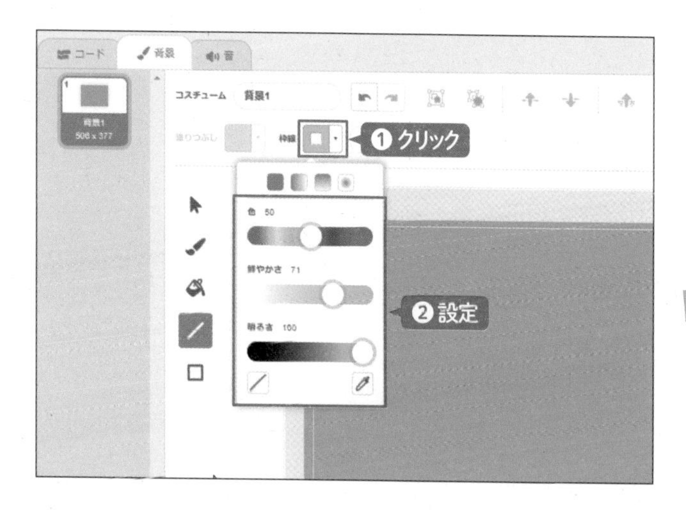

2 「枠線」をクリックして、色を決めます。ここでは、以下のような数字を入れて、水色にしています。

- 色　50
- 鮮やかさ　71
- 明るさ　100

MEMO

道路の色も、自由に決めてかまいません。背景の地の色と区別がつきやすい色にしておきましょう。

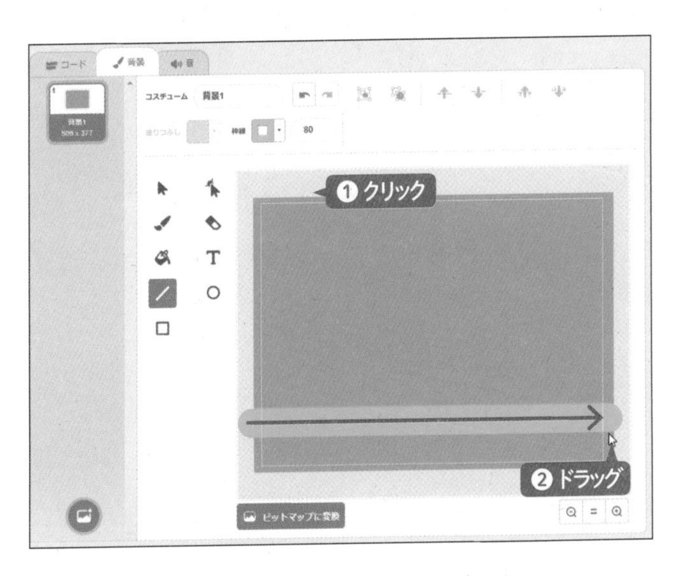

3 画面の何もないところをクリックします。色の選択画面が消えます。画面の左から右までドラッグしましょう。ドラッグの動きに沿って、道路の線が描けます。

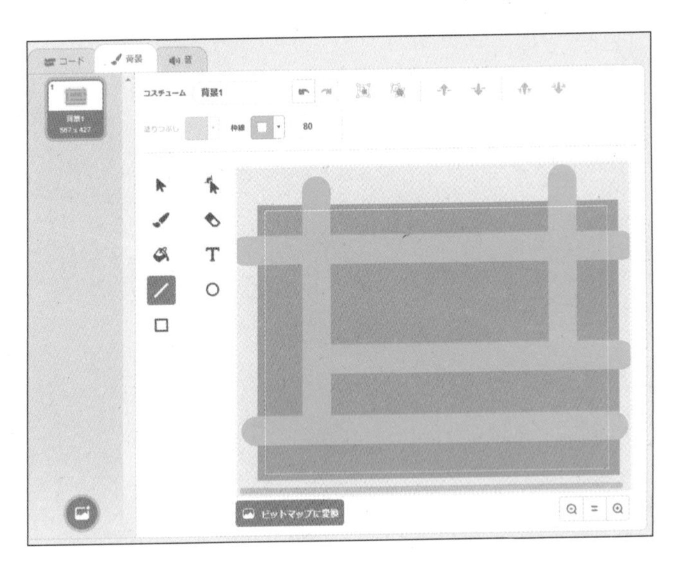

4 同じように道路の横線を何本かと、道路の縦線も何本か書き足しましょう。

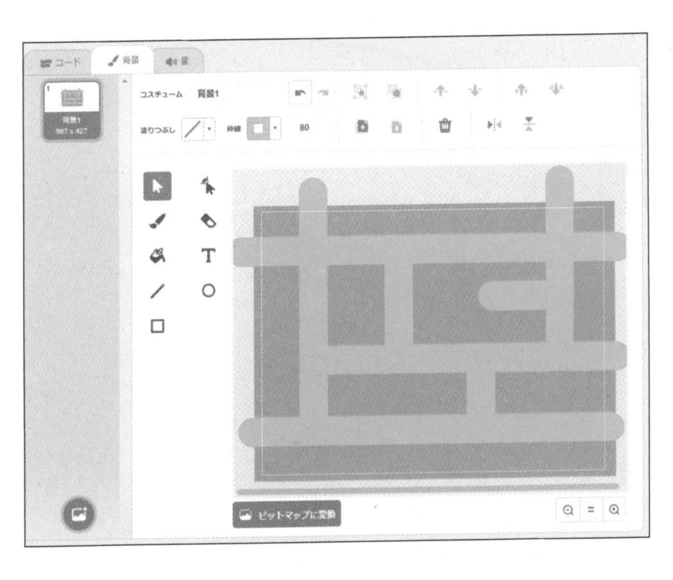

5 細かい道も書き加え、マップの道路が完成しました。

3 ゲームに登場するスプライトを追加しよう

このゲームに登場するスプライトをすべて追加しておきます。まずは、バスからです。次に3人の乗客、そして野球場を追加します。

バスのスプライトを追加する

1 画面右下の「スプライトを選ぶ」にマウスポインターを合わせ、「スプライトを選ぶ」をクリックします。

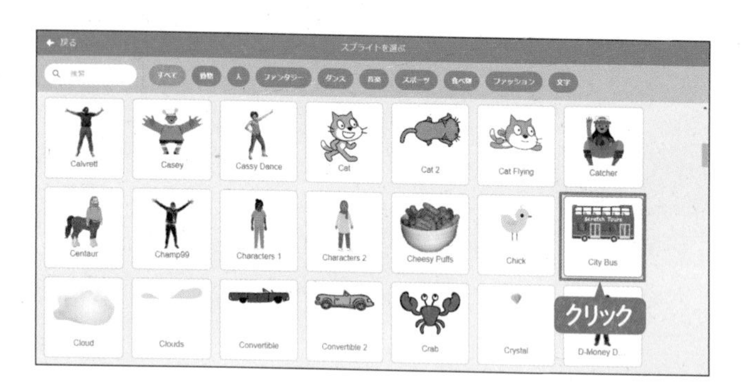

2 「City Bus」をクリックします。

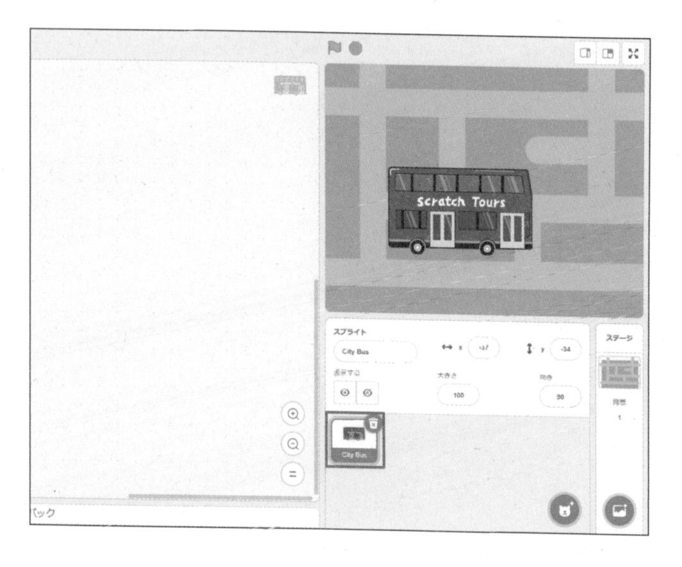

3 「City Bus」が追加されました。

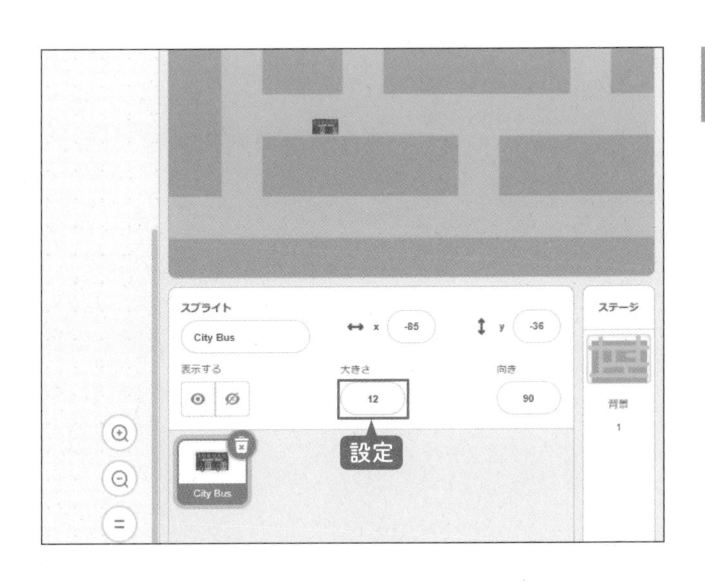

4 バスのサイズが大きいと、道路を通れないので、「大きさ」を「12」に設定しています。

バスのスプライトを追加する

1 画面右下の「スプライトを選ぶ」にマウスポインターを合わせ、「スプライトを選ぶ」をクリックしたら、ジャンルで「ファンタジー」を選択し、「Elf」をクリックします。

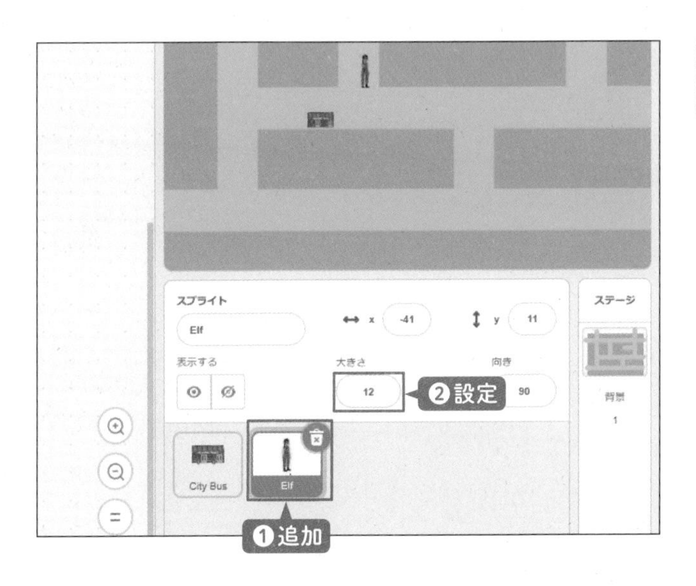

2 「Elf」が追加されました。「大きさ」を12にします。

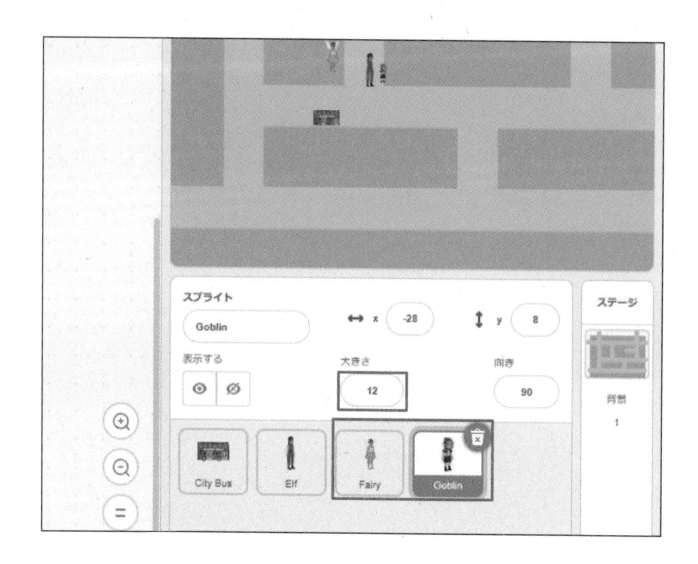

3 同様に、ジャンルの「ファンタジー」から「Fairy」と「Goblin」も追加しました。どちらも「大きさ」は12にします。

スタジアムのスプライトを追加する

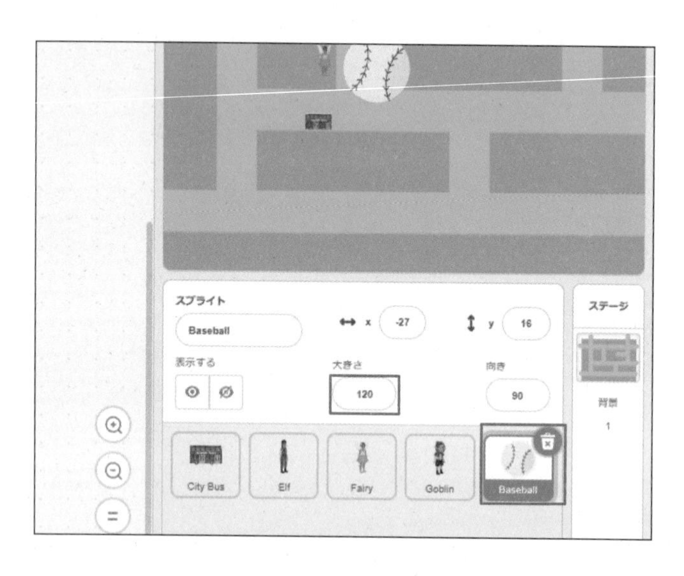

1 ゴールの野球場は、ジャンルの「スポーツ」から「Baseball」を選んでいます。「大きさ」は120にしています。

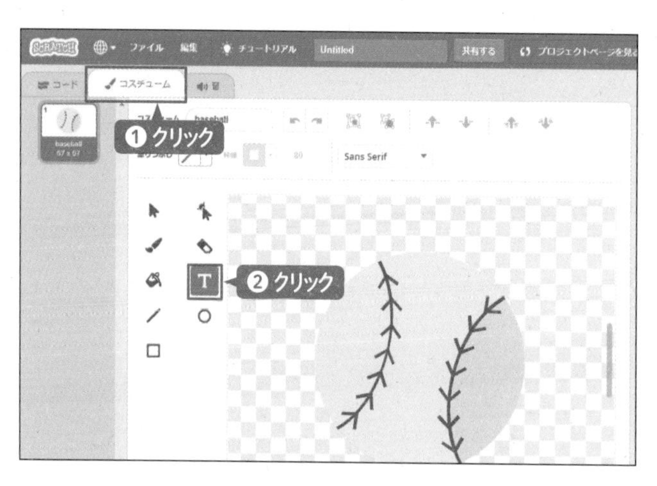

2 「Baseball」のスプライトの上に文字を書き込んで、加工してみます。画面左の「コスチューム」をクリックしたら、「テキスト」ボタンをクリックします。

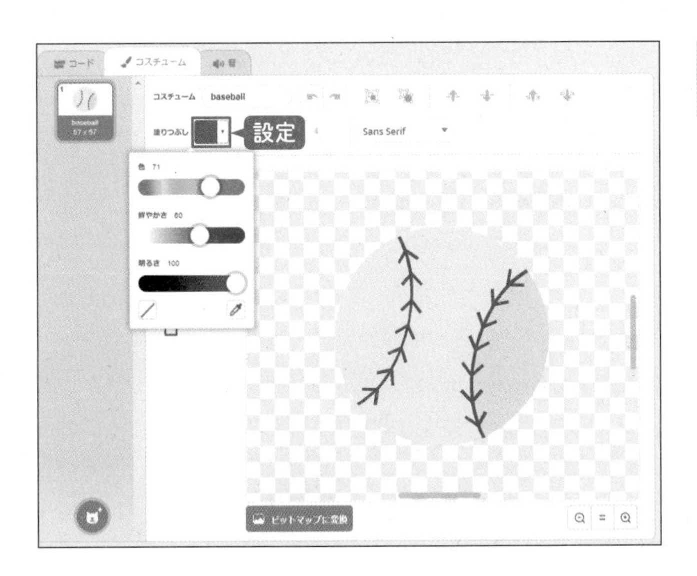

3 「塗りつぶし」をクリックし、文字の色を決めます。

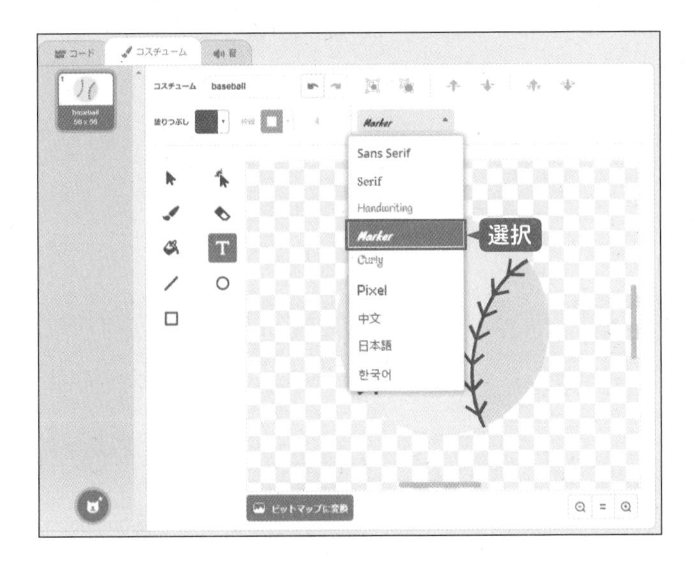

4 文字の書体から「Marker」を選んでいます。

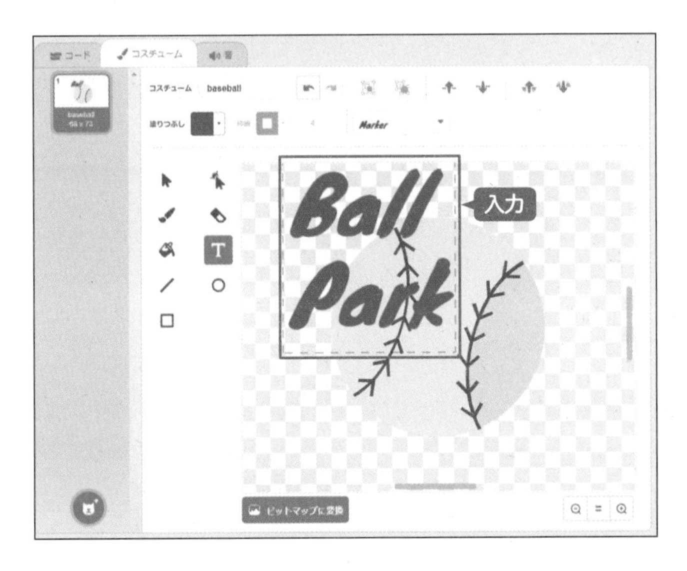

5 画面上をクリックし、「Ball Park」のように文字を入力します。

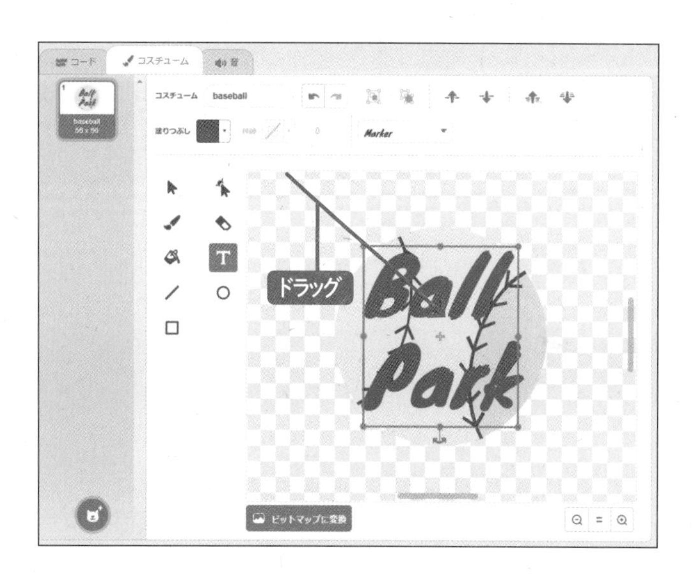

6 ドラッグしてボールのイラストの上に重ねます。

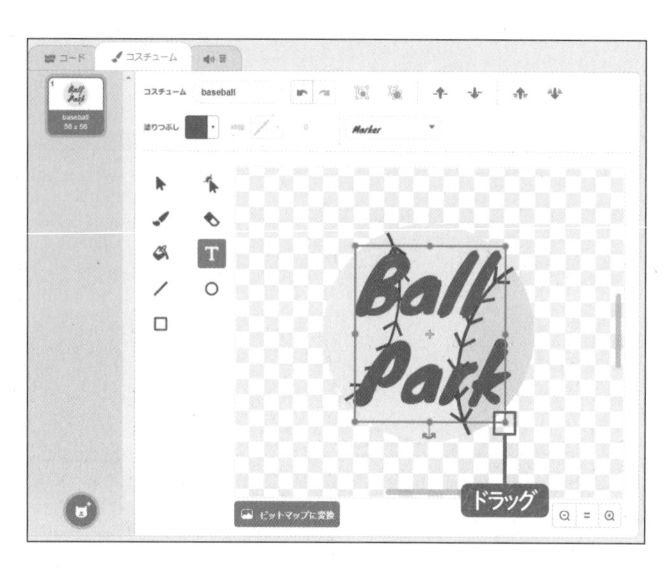

7 四隅の「●」をドラッグして、サイズを調整し、ボールのイラストにうまく重なるようにします。

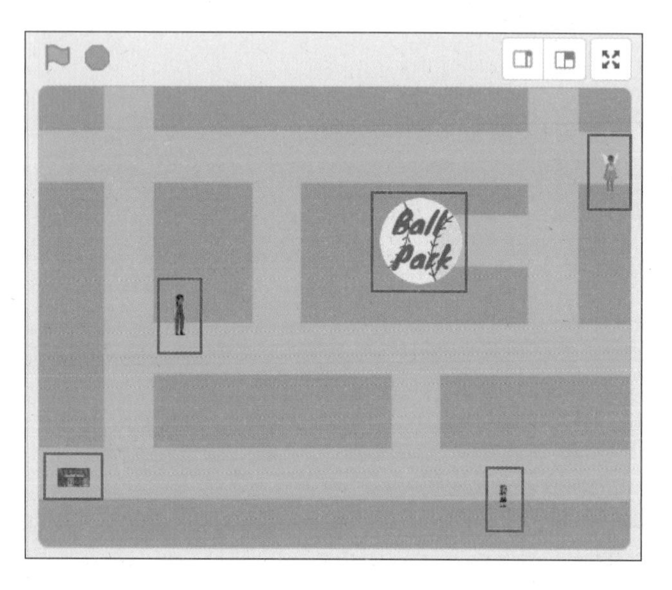

8 左の画像を参考に、それぞれのスプライトをドラッグしてマップの上に配置しましょう。

MEMO

バスは左下のスタートの位置、球場は道路につながるゴールの位置です。乗客は道路にはみ出すように起きましょう。位置は厳密でなくてかまいません。

4 バスを動かすプログラムを作ろう

バスを動かすプログラムを作ります。マウスポインターでクリックした場所、あるいは画面上でタップした場所に向かって、バスが進むことにします。そして、道路をはみ出して背景の色に当たると、1つ前の位置に戻すようにします。

バスの最初の位置を決める

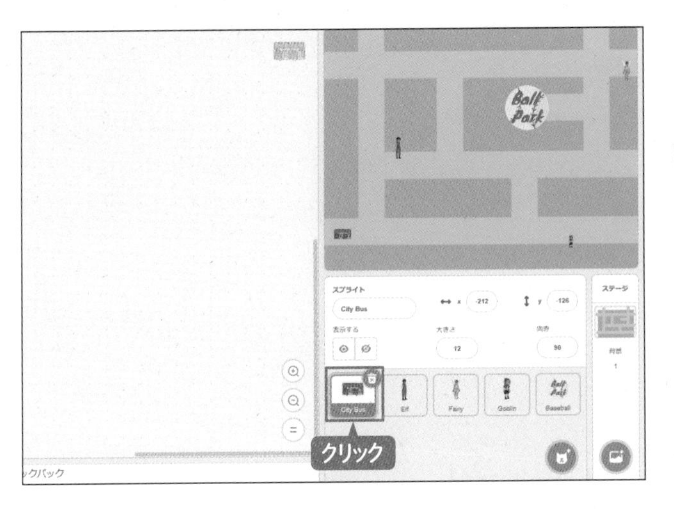

1 スプライトの一覧で「City Bus」をクリックします。

MEMO

プログラムの画面が表示されていないときは、左上の「コード」をクリックします。

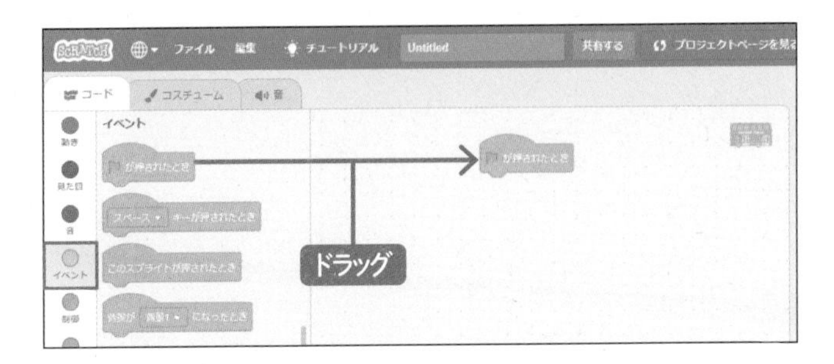

2 「イベント」の「緑の旗が押されたとき」ブロックをコードエリアまでドラッグします。

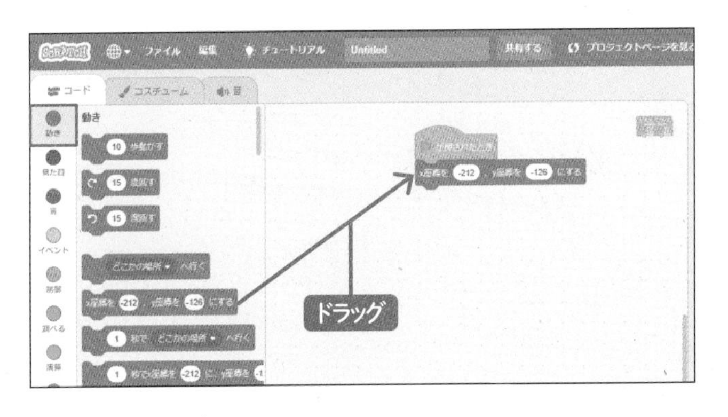

3 「動き」の「x座標を○、y座標を○にする」を追加します。スタート位置に置いたバスの座標が入っているはずなので、数字はそのままでかまいません。

ステージの座標を知ろう

Scratchのステージ上の位置は、X座標とY座標で表すことができます。横方向がX座標、縦方向がY座標で、中心は(X=0, Y=0)となります。
X座標は右に進むほど大きく、中心より左はマイナス。最大の数字は「240」、最小は「-240」です。Y座標は上に進むほど大きく、中心より下はマイナス。最大の数字は「180」、最小は「-180」です。

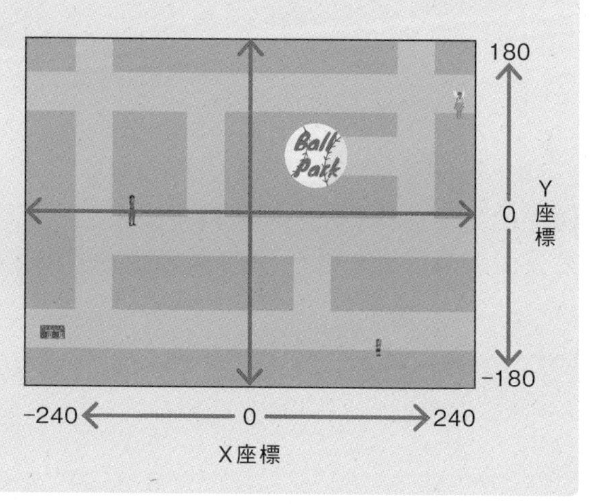

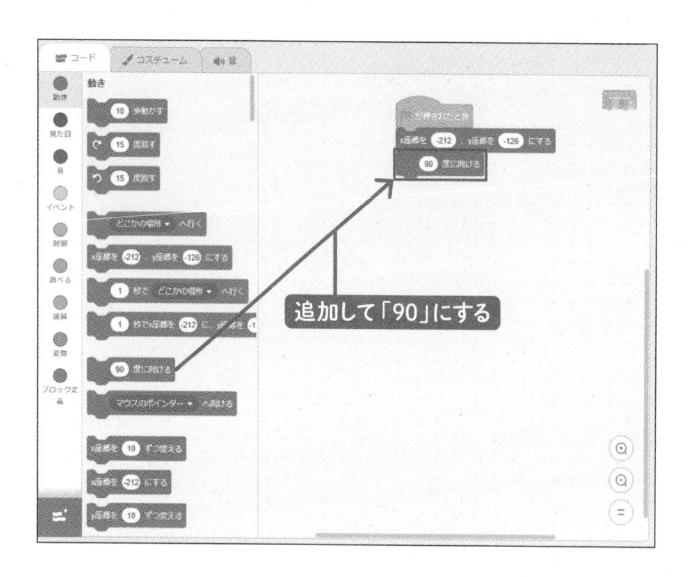

4 「○度に向ける」ブロックを追加します。バスが最初に右向きになるように、90度にしておきます。

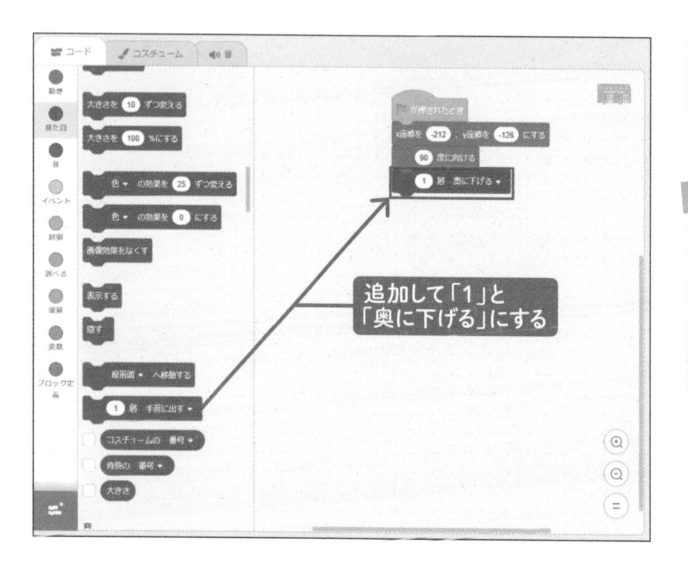

5 「見た目」の「○層手前に出す」ブロックを追加して、「1層奥に下げる」のようにします。

MEMO

このあと乗客のスプライトが、バスと重なったときに、隠れてしまわないように、バスを奥に表示するようにしています。

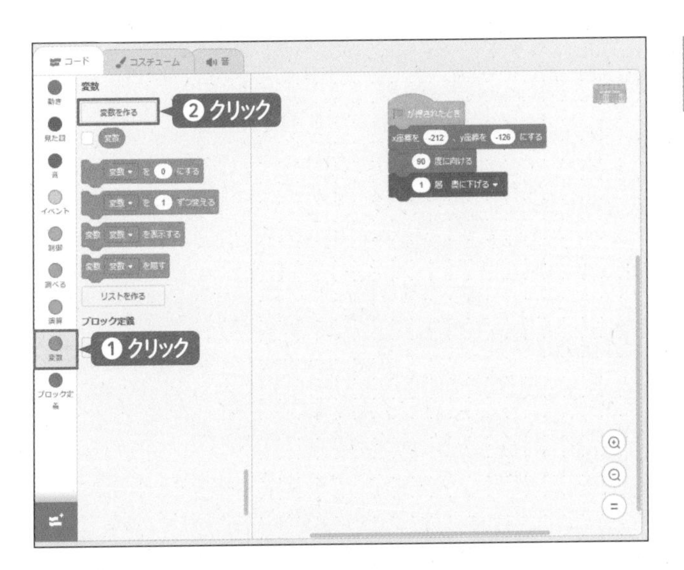

6

「変数」をクリックして、「変数を作る」をクリックします。

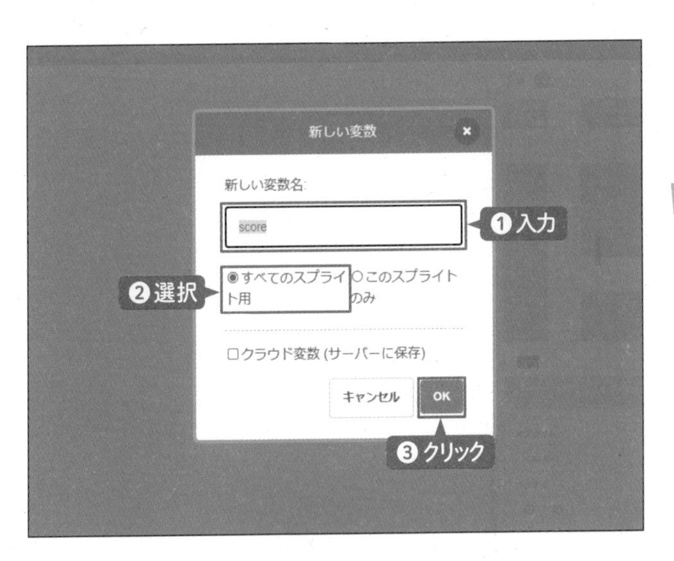

7

「新しい変数名」に「score」と入力し、「すべてのスプライト用」を選んだら、「OK」をクリックします。

MEMO

「score」の変数は、乗客や球場のスプライトでも使うので、「すべてのスプライト用」を選んでいます。

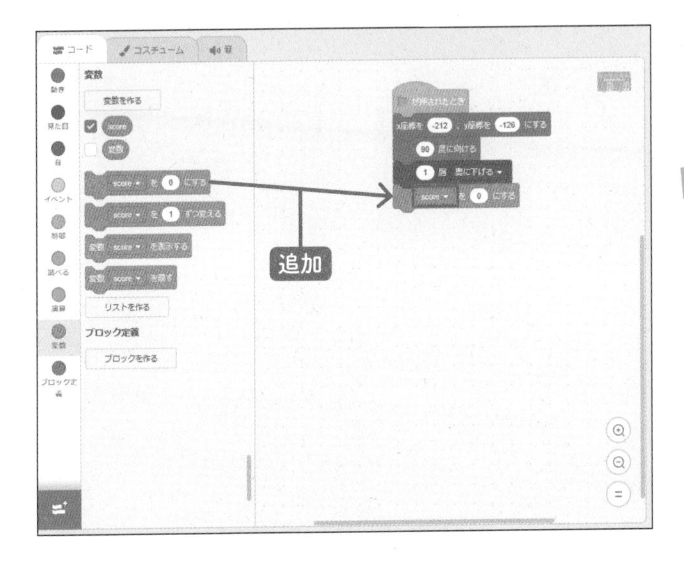

8

「[変数] を0にする」ブロックを追加します。変数名が「score」になっていなければ、選択します。

MEMO

緑の旗をクリックしたときに、「score」を0にします。そして、乗客を1人乗せるごとに100点ずつ増えることにします。3人乗せて300点になっていなければ、球場にゴールすることができません。

クリックまたはタップした方向にバスが進む

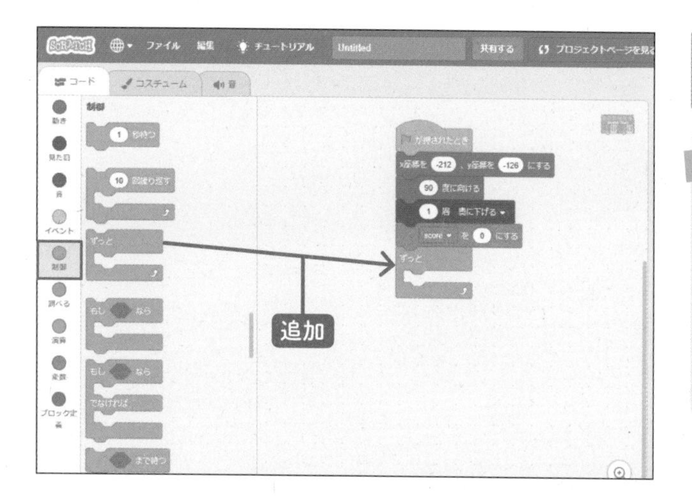

1 「制御」の「ずっと」ブロックを追加します。

MEMO

プログラムがスタートしたら、バスはクリック（またはタップ）した方向に進み、壁にぶつかったら戻るという動作をずっと繰り返すので、「ずっと」ブロックを使うことにします。

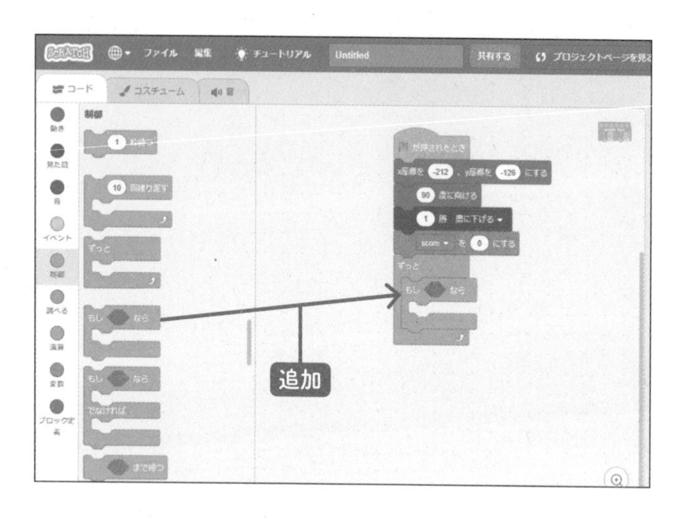

2 「もし○なら」ブロックを「ずっと」ブロックの中に追加します。

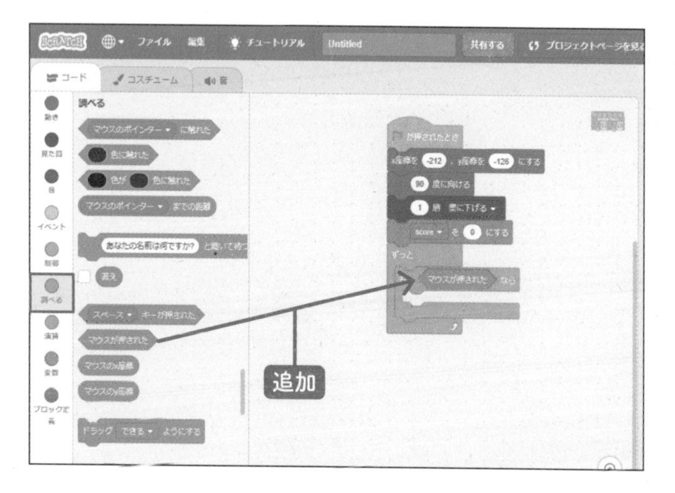

3 「調べる」の「マウスが押された」ブロックを「もし○なら」ブロックの○の部分に入れます。

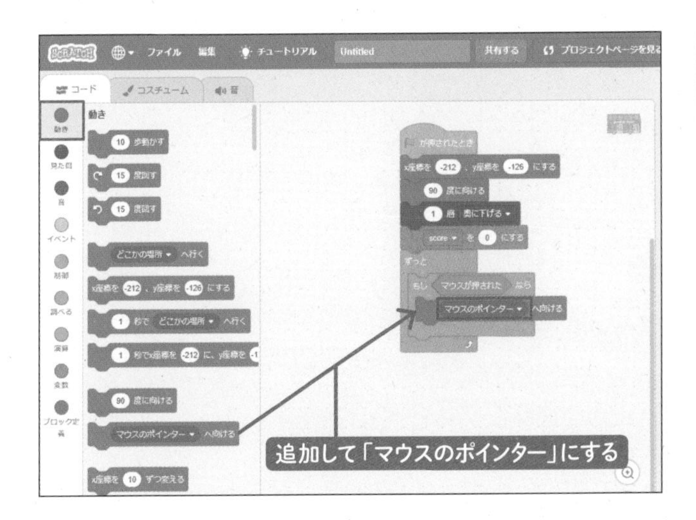

4 「動き」の「○へ向ける」ブロックを「もし○なら」ブロックの中に追加し、「マウスのポインター」を選択します。

5 「○歩動かす」ブロックを追加し、数字を5にします。

MEMO

これでマウスをクリック、またはタブレットをタップした方向に、バスが5ピクセル分ずつ進むことになります。

バスが壁にぶつかったら戻る

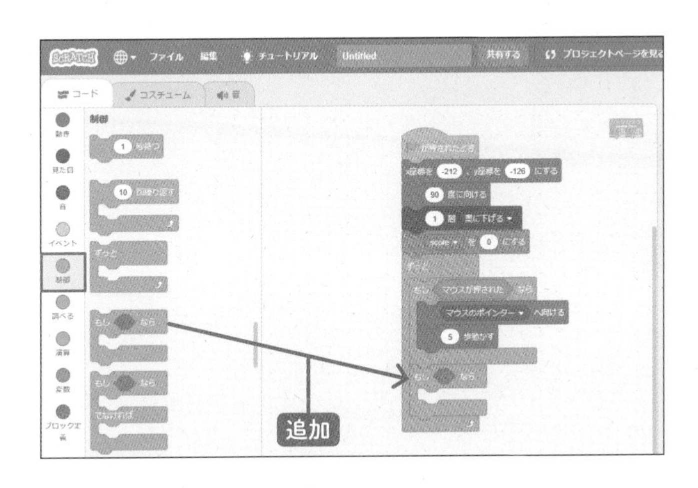

1 「制御」の「もし○なら」ブロックを「ずっと」ブロックの中に追加します。

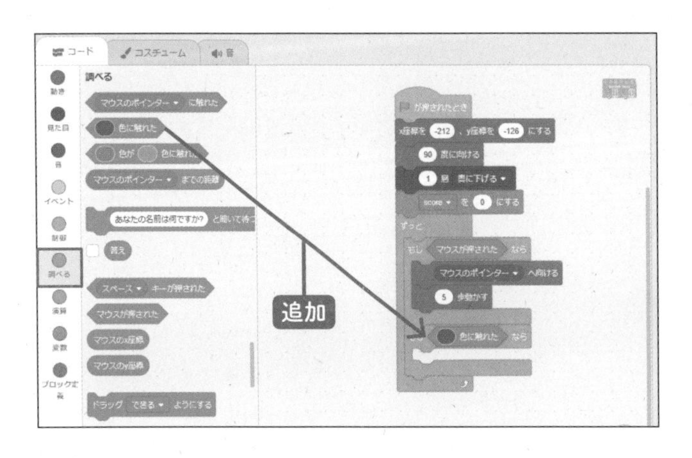

2 「調べる」の「○色に触れた」ブロックを「もし○なら」ブロックの中に追加します。

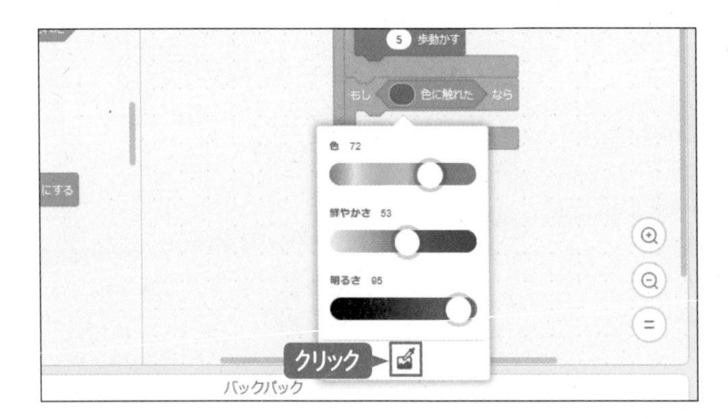

3 「○色に触れた」ブロックの色の部分をクリックします。色の設定画面の下に、スポイトのイラストが表示されるので、クリックします。

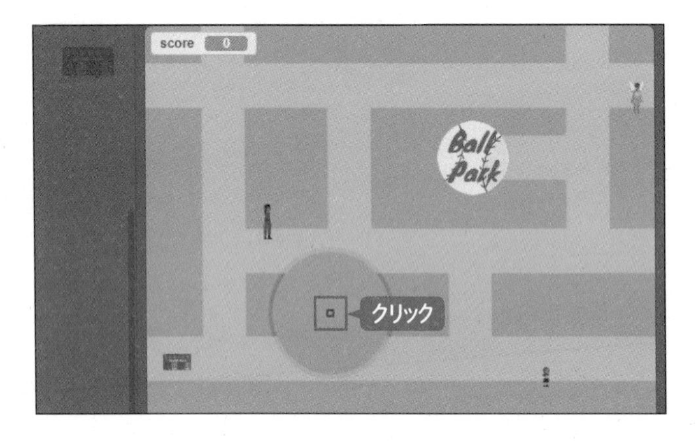

4 ステージの壁色の上で、クリックします。これで、壁色が取得できます。

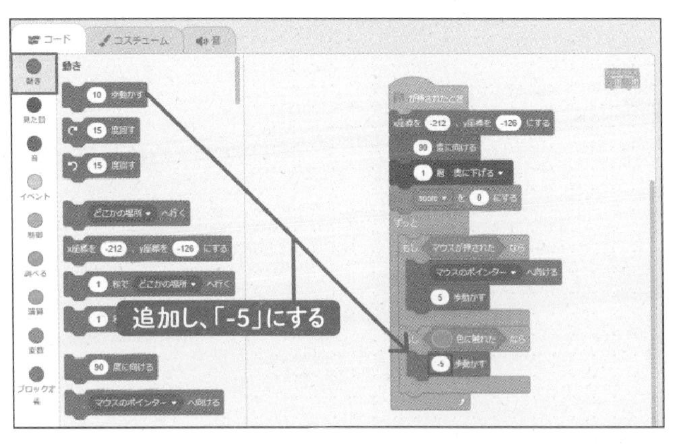

5 「動き」の「○歩動かす」ブロックを追加し、「-5歩動かす」のようにします。

MEMO

これで、壁の色にぶつかったら、5歩前の場所に戻ることになります。

バスの動きを演出する

1 ここまでのプログラムでバスを動かせることができますが、ガタゴトとゆっくり動くプログラムに改造してみることにします。「コスチューム」をクリックします。City Busには、2種類のイラストが用意されていますが、「City Bus-b」は使わないことにします。クリックして選んだら、右上のゴミ箱のアイコンをクリックします。

2 「City Bus-a」をコピーします。右クリックして「複製」をクリックします。

MEMO

タブレットの場合は、長押して「複製」をタップします。

3 同じように3つの複製を用意して、全部で4つにします。

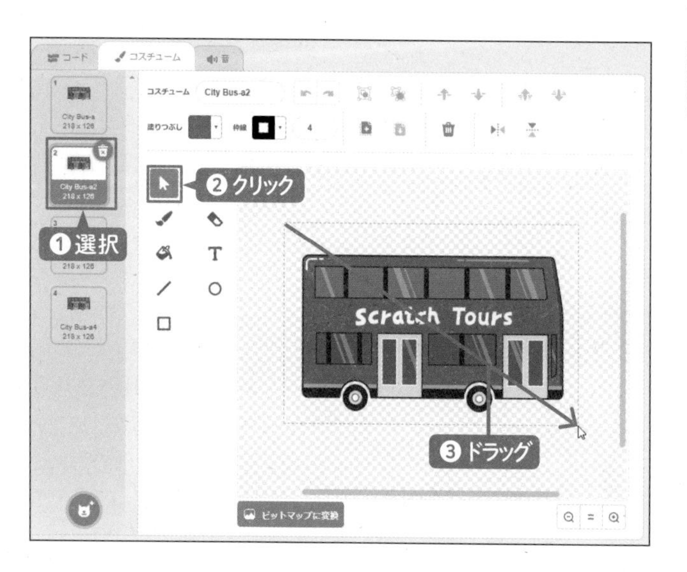

4 2つめのコスチュームを選んだら、「選択」ボタンをクリックし、バス全体を囲むようにドラッグして、バス全体を選択します。

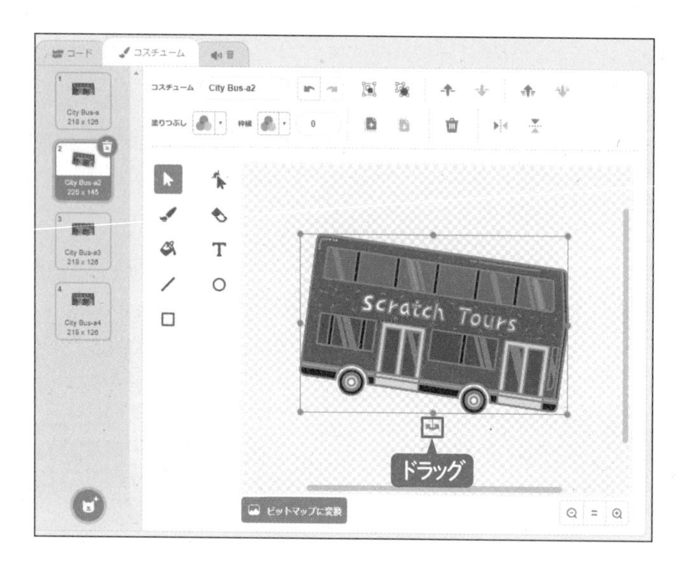

5 下に表示されている矢印をドラッグして、バスが前に少し傾くようにします。

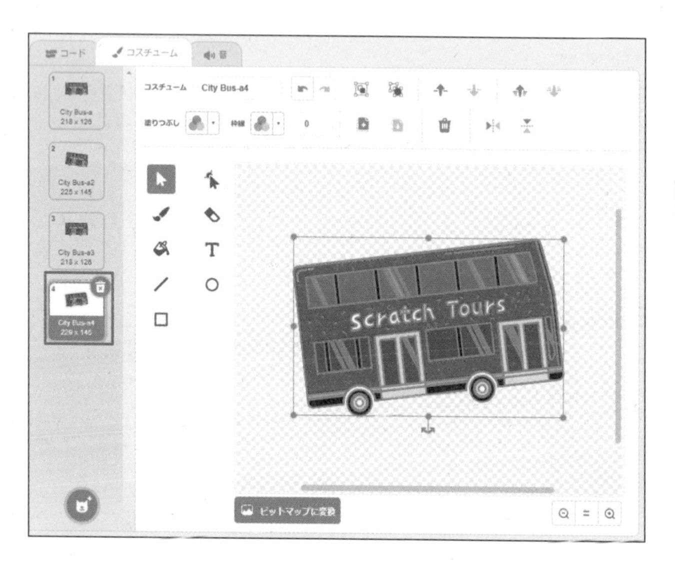

6 同じ方法で、4つめのコスチュームのバスを後ろに少し傾くようにします。

MEMO

4つのコスチュームを順に切り替えると、バスが前後にガタガタゆれるようなアニメーションを作ることができます。

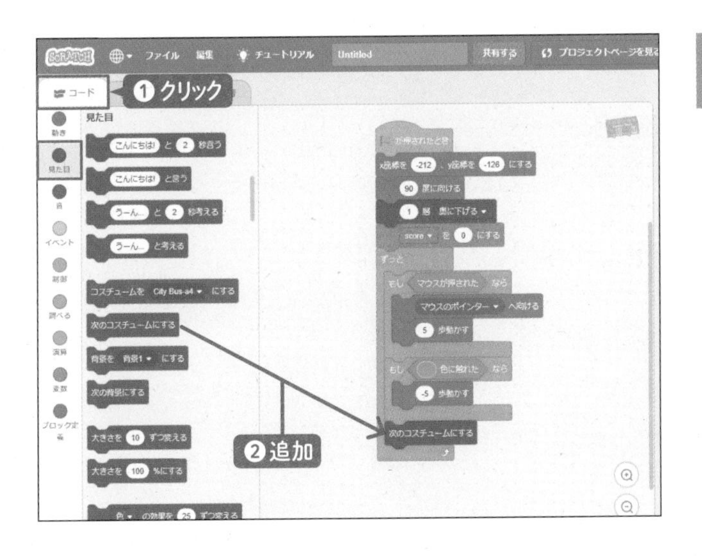

7 バスのプログラムを追加します。「コード」をクリックして切り替えたら、「見た目」の「次のコスチュームにする」ブロックを追加します。

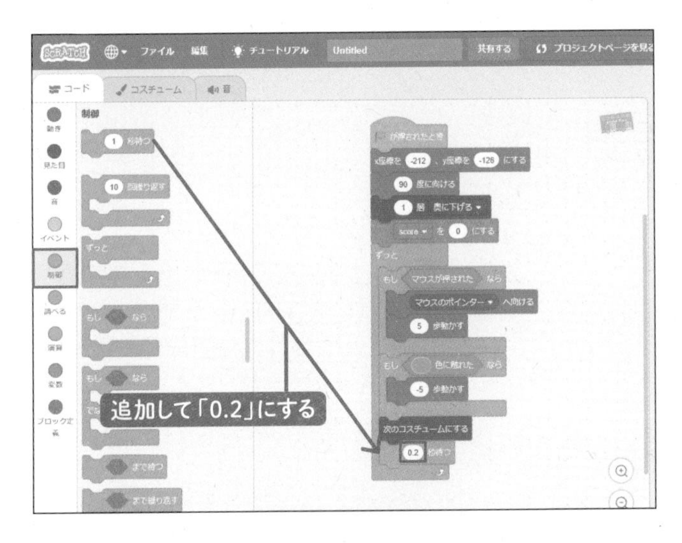

8 「制御」の「○秒待つ」ブロックを追加して、「0.2秒待つ」にします。

9 ここまででバスのプログラムは完成です。次のことを確認してみましょう。

- 「緑の旗」ボタンをクリックすると、バスがスタート位置に移動する。
- 画面上をクリックすると、その方向にバスが進む。
- 壁にぶつかるとそれ以上進まない。

もし、うまくいかなければ、113ページからプログラムの作り方を確認してみてください。

5 乗客のプログラムを作ろう

乗客は、バスの到着までずっと待ちます。そして、バスに触れるとサウンドやメッセージの表示でリアクションして、バスに乗り込みます。乗客が1人乗り込むごとに、scoreは100ずつ増えます。

最初に表示する

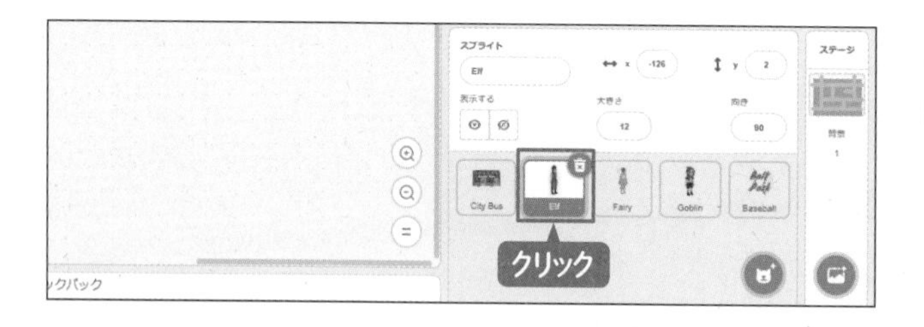

1 スプライトの一覧で「Elf」をクリックします。

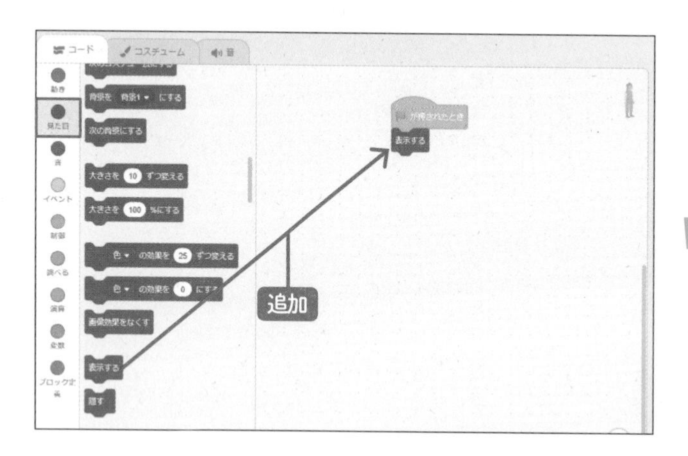

2 「イベント」の「緑の旗が押されたとき」ブロックをコードエリアまでドラッグし、「見た目」の「表示する」ブロックを追加します。

MEMO

乗客のスプライトは、バスに乗ると隠されます。次にゲームを始めたときに表示されるように、「表示する」ブロックを追加しています。

バスに触れるまでずっと待つ

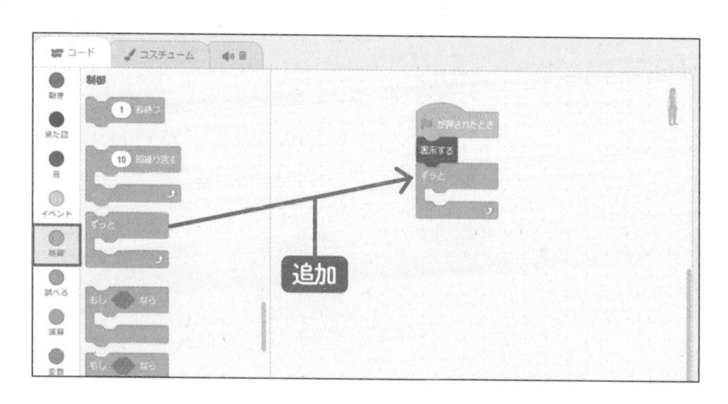

1 「制御」の「ずっと」ブロックを追加します。

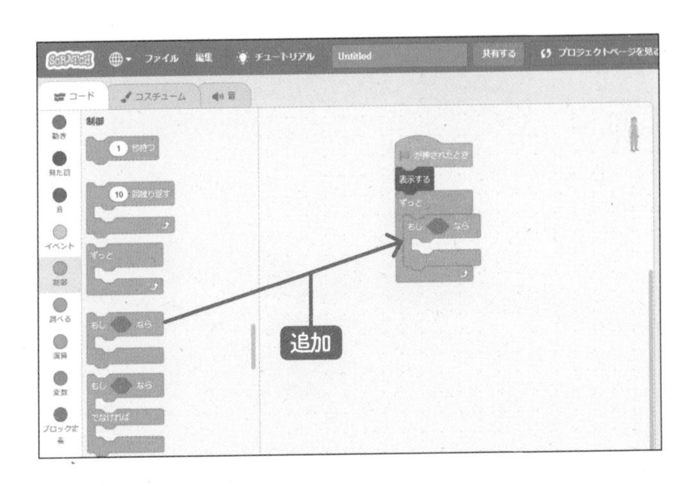

2 「もし○なら」ブロックを「ずっと」ブロックの中に追加します。

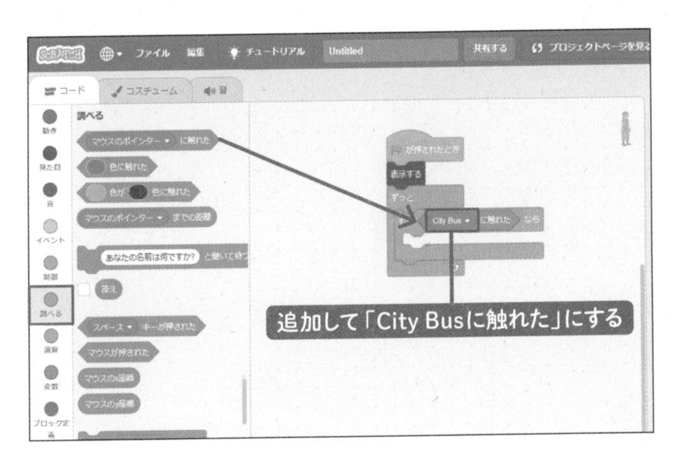

3 「調べる」の「○に触れた」ブロックを「もし○なら」ブロックの○の部分に入れます。「City Busに触れた」になるようにします。

バスに触れたときの効果を作る

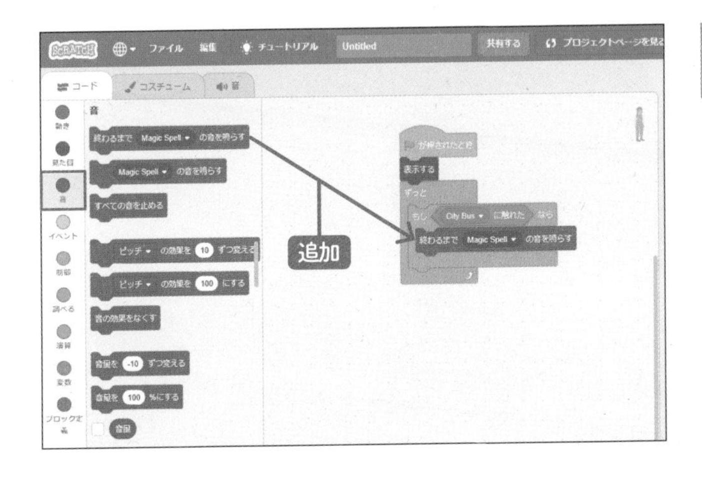

1 「音」の「終わるまで○の音を鳴らす」ブロックを「もし○なら」ブロックの中に追加します。

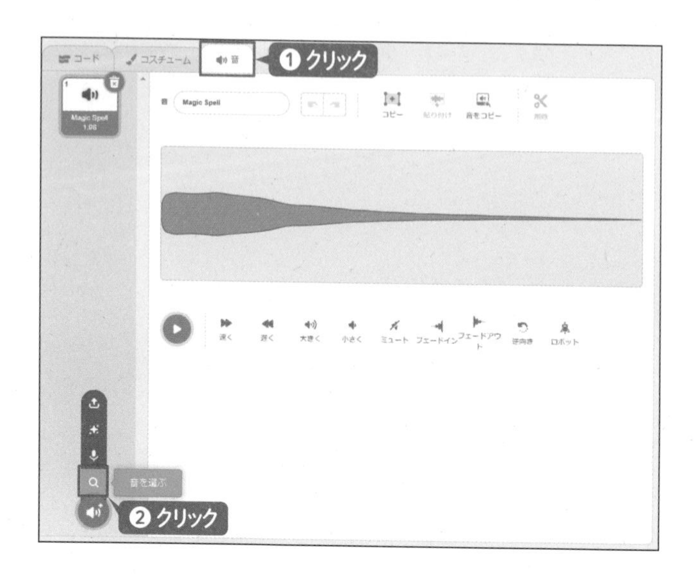

2 「音」をクリックし、左下の「音を選ぶ」にマウスポインターを合わせ、「音を選ぶ」をクリックします。

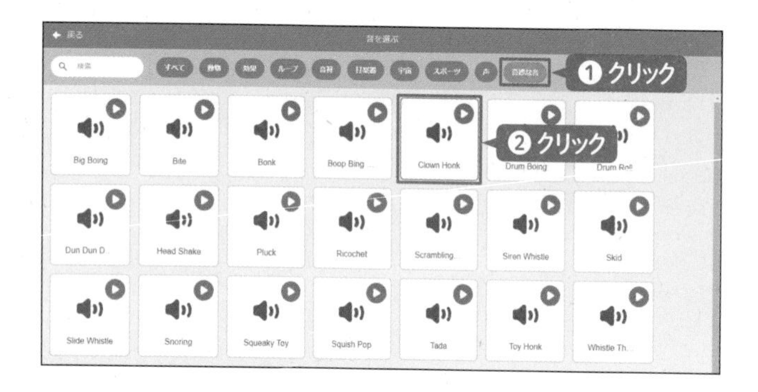

3 「奇妙な音」の「Clown Honk」をクリックします。

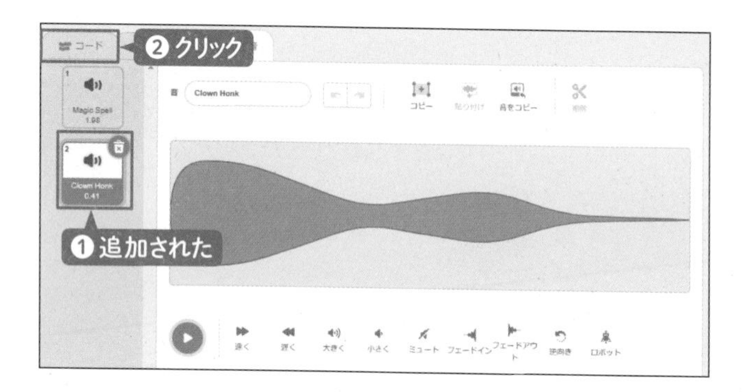

4 「Clown Honk」が追加されたら、「コード」をクリックします。

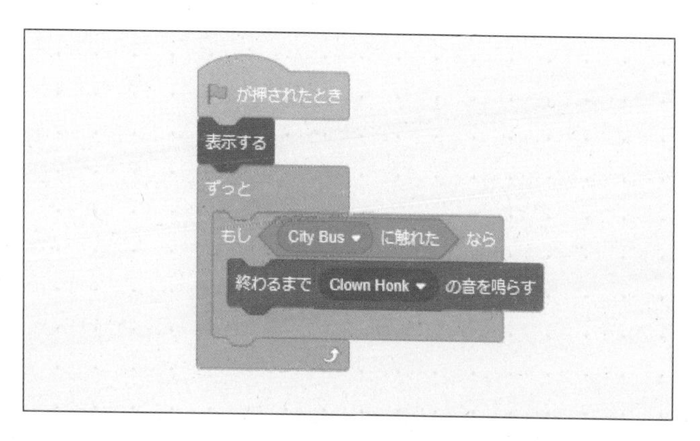

5 「終わるまで○の音を鳴らす」ブロックで、「Clown Honk」を選択します。

MEMO

「Clown Honk」は、クラクションの音に見立てて使います。本来なら、バスが出す音ですが、プログラムを単純化するため、乗客のプログラムに追加しています。

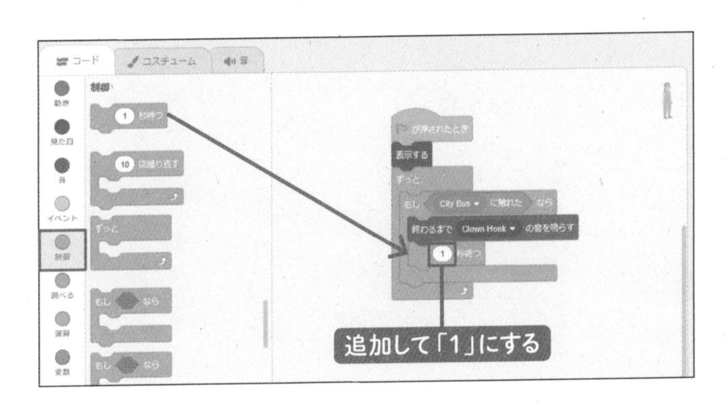

6 「制御」の「○秒待つ」ブロックを追加して、「1秒待つ」にします。

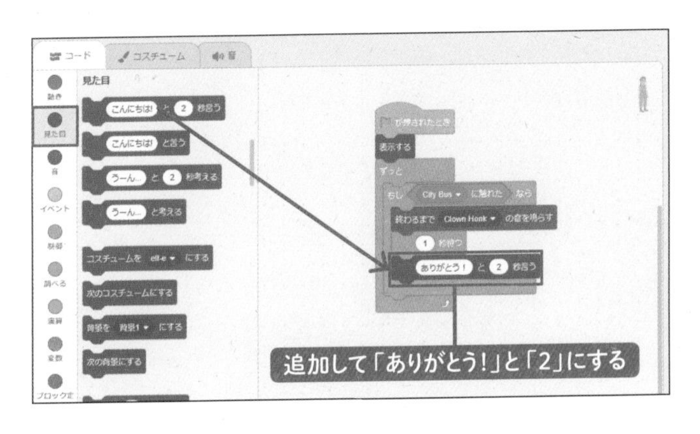

7 「見た目」の「(こんにちは!)と○秒言う」ブロックを追加して、「ありがとう!と2秒言う」のようにします。

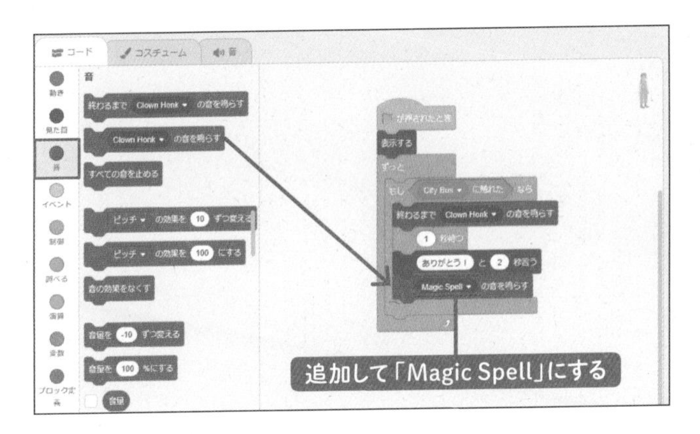

8 「音」の「○の音を鳴らす」ブロックを追加します。「Magic Spellの音を鳴らす」のようにします。

MEMO

Elfのスプライトには、「Magic Spell」の音が最初から登録されています。

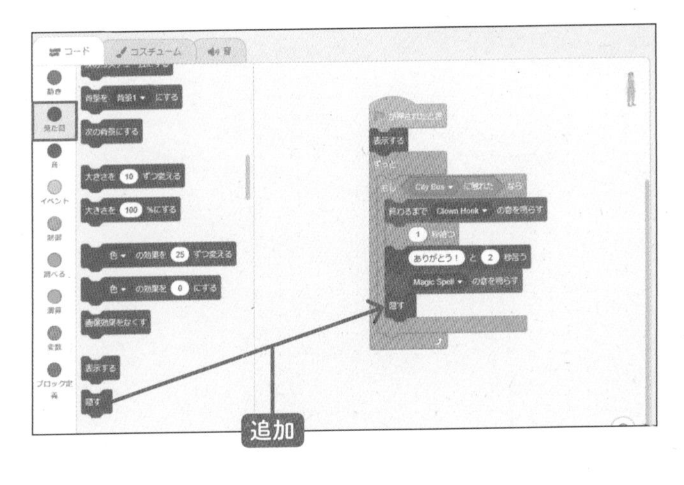

9 「見た目」の「隠す」ブロックを追加します。

MEMO

スプライトが隠れて、バスに乗ったように見せます。

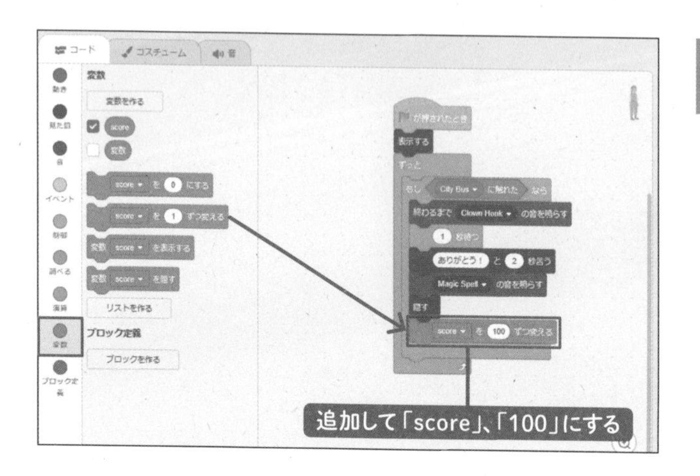

10 「変数」の「○を○ずつ変える」ブロックを追加し、「scoreを100ずつ変える」のようにします。

見た目の効果を加える

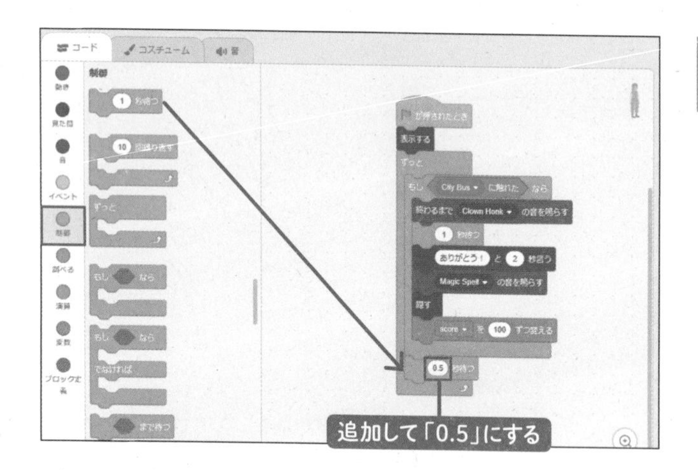

1 バスに乗らない場合は、少しずつポーズを変えながら待つことにします。「制御」の「○秒待つ」ブロックを「もし○なら」ブロックの下に追加し、「0.5秒待つ」のようにします。

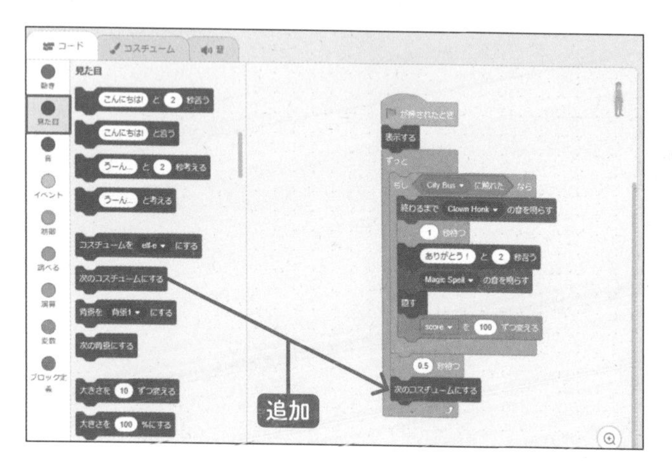

2 「見た目」の「次のコスチュームにする」ブロックを追加しました。

MEMO

スプライトが待っている間、手を振ったり、姿勢を変えて動いてくれます。

他の乗客にプログラムをコピーする

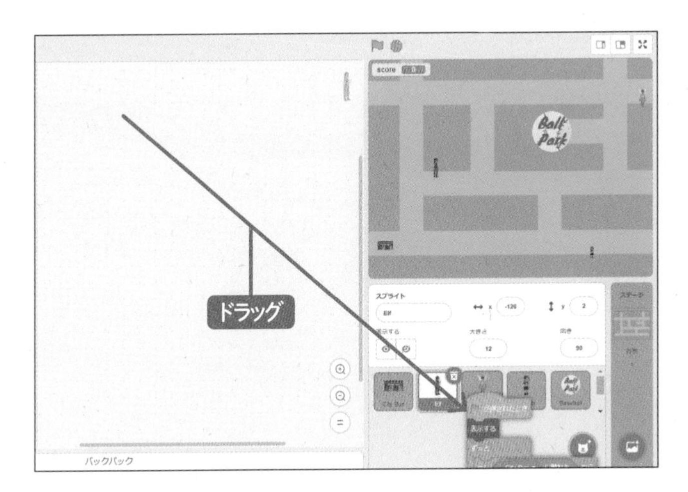

1 スプライトのElfで作ったプログラムをコピーします。「緑の旗が押されたら」ブロックをドラッグして、Fairyの上にドロップします。

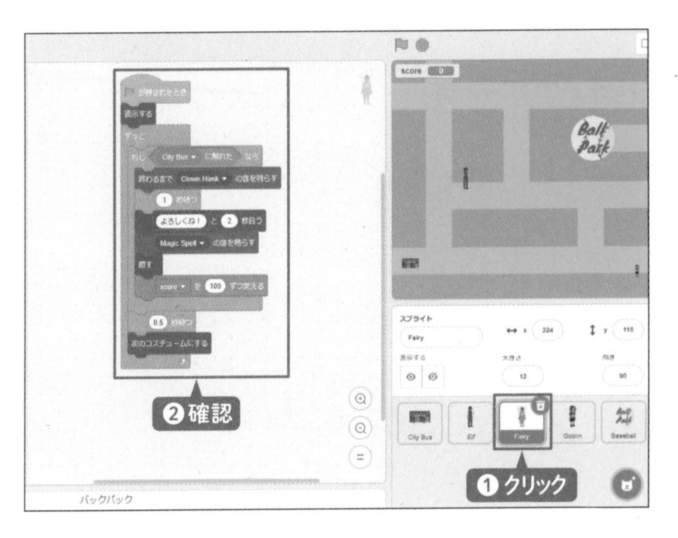

2 プログラムがコピーされたことを確認します。バスが到着したときのセリフはそれぞれ変更してみましょう。変更したら124ページを参考に、「音」で「Clown Honk」を追加しておきます。

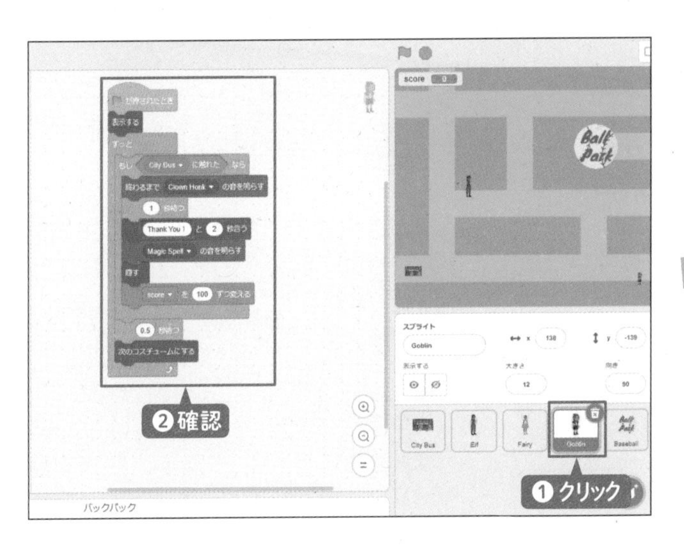

3 同じように「Goblin」にもプログラムをコピーします。セリフを変更したら、「音」で「Clown　Honk」と「Magic Spell」の2つを追加しておきます。

MEMO

バスが到着したときのセリフはそれぞれ変更してみましょう。スプライトの種類により、初期状態で持っている「音」が違うので、必要に応じて追加しましょう。

6 野球場のプログラムを作ろう

ゴールになる野球場のプログラムを作ります。バスの到着を待ちますが、scoreが満点になっていなければ、ゴールとは認められません。scoreが300点になってゴールすると、タイムが表示され、歓声が聞こえます。

球場のプログラムの初期設定

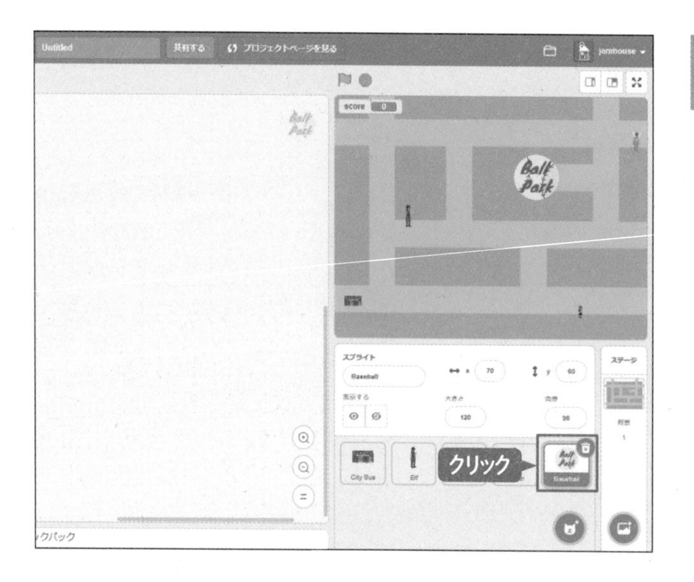

1 スプライトの一覧で「Baseball」をクリックします。

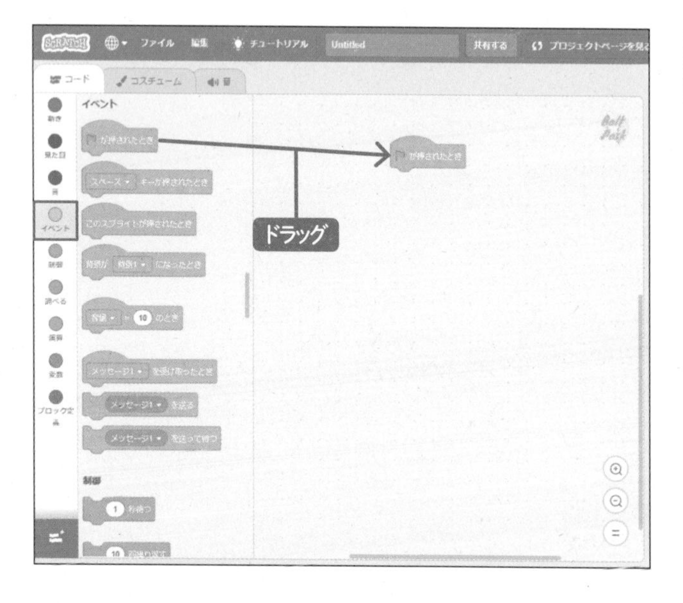

2 「イベント」の「緑の旗が押されたとき」ブロックをコードエリアまでドラッグします。

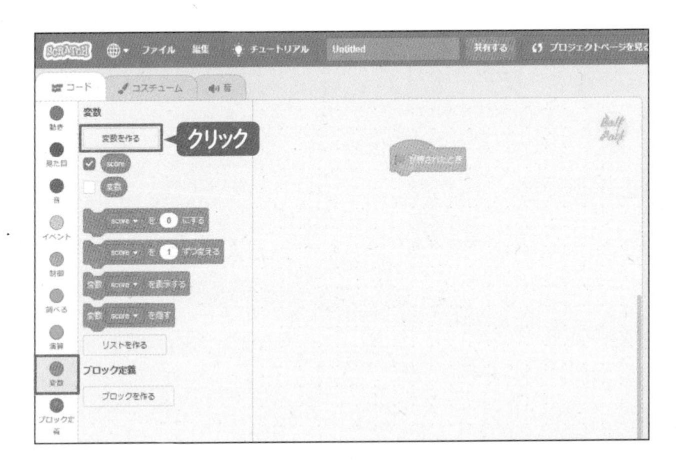

3 「変数」の「変数を作る」をクリックします。

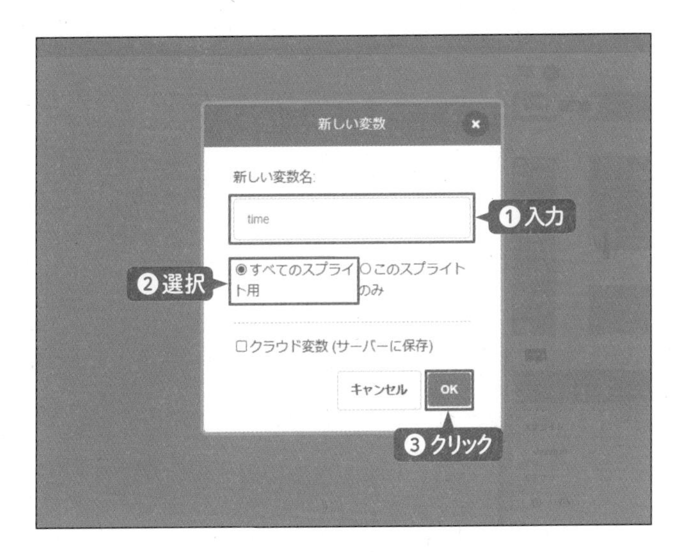

4 「新しい変数名」に「time」と入力し、「すべてのスプライト用」を選んだら、「OK」をクリックします。

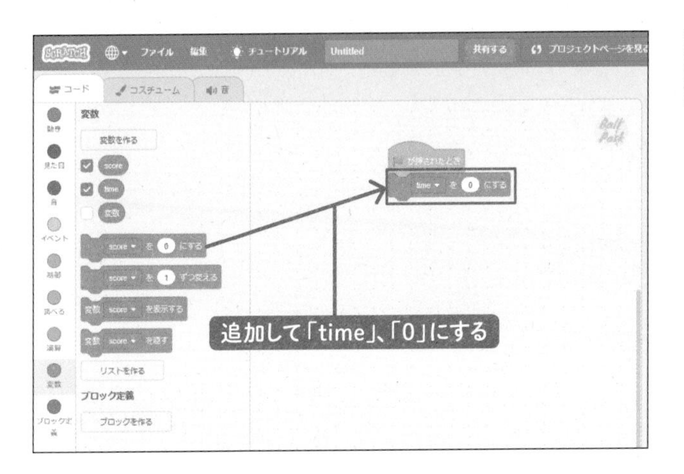

5 「○を○にする」ブロックを追加して、「timeを0にする」のようにします。

ずっと待ちながらタイムを増やす

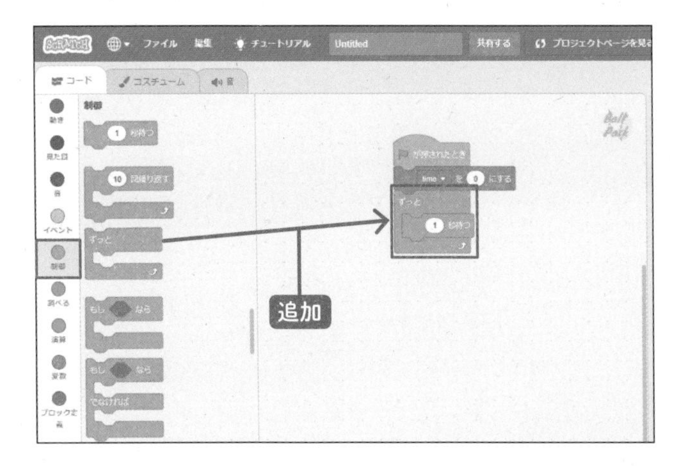

1 「制御」の「ずっと」ブロックを追加して、「1秒待つ」ブロックを間に追加します。

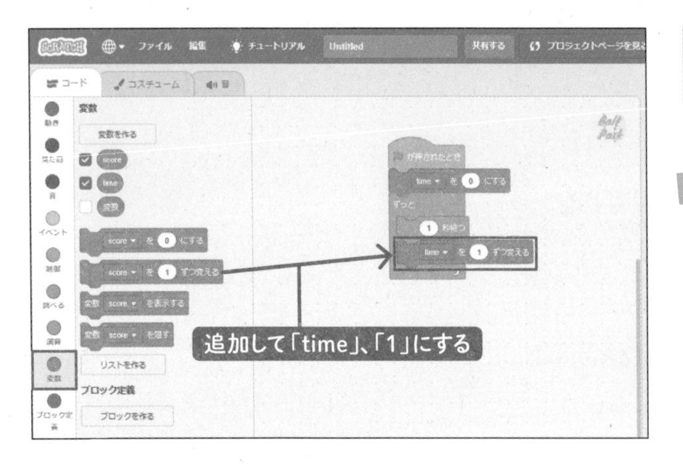

2 「変数」の「○を○ずつ変える」ブロックを追加して、「timeを1ずつ変える」のようにします。

MEMO

これで、「ずっと」ブロックが繰り返されるたびに1秒待って、変数のtimeが1ずつ増えることになります。

バスに触れたときのプログラム

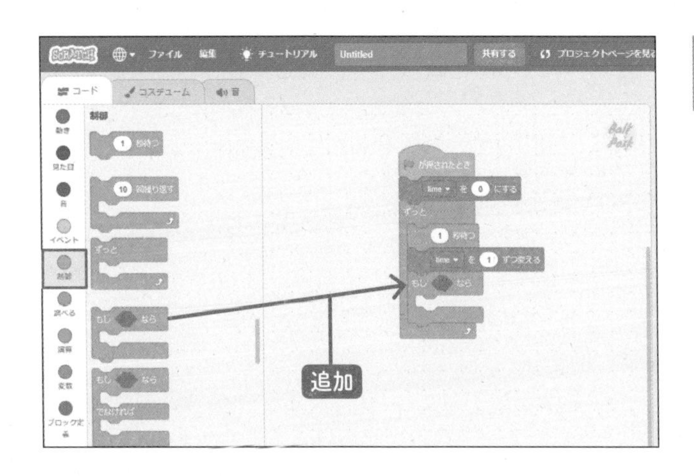

1 「制御」の「もし○なら」ブロックを「ずっと」ブロックの中に追加します。

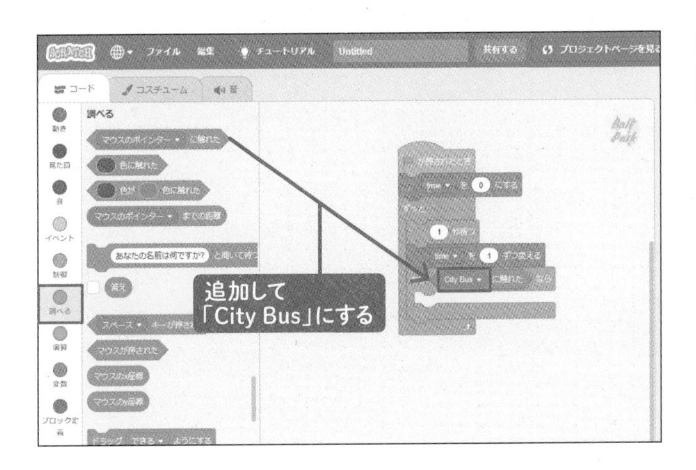

2 「調べる」の「○に触れた」ブロックを「もし○なら」ブロックの○の部分に入れます。「City Busに触れた」になるようにします。

点数が「300」ならタイムを表示する

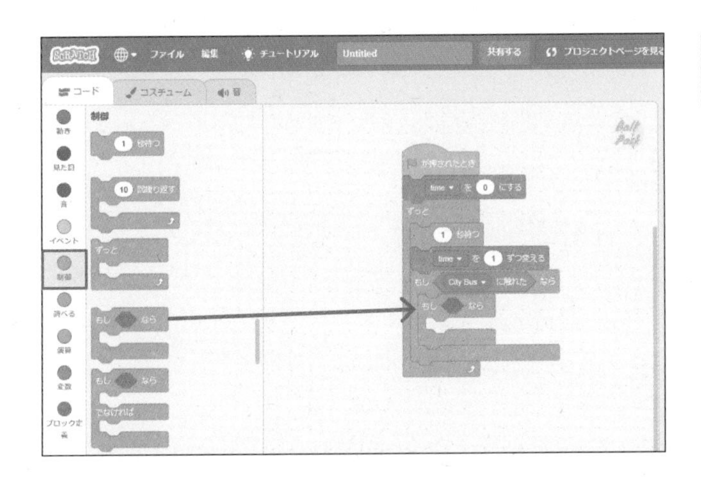

1 その中にさらに「制御」の「もし○なら」ブロックを追加します。

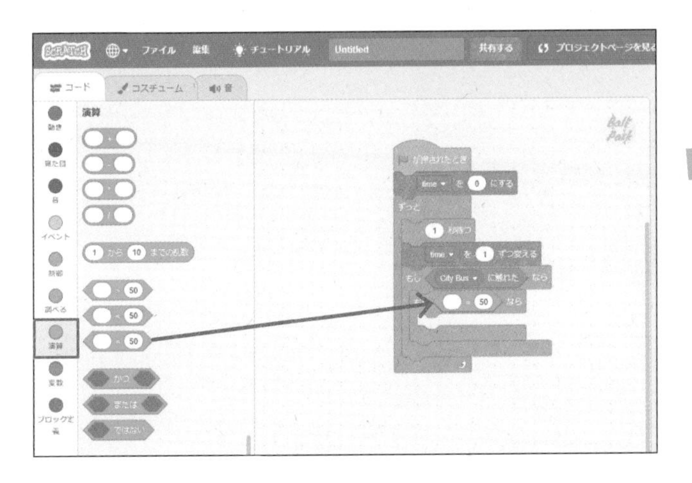

2 「演算」の「○=○」ブロックを「もし○なら」の○の部分に入れます。

MEMO

ここで使った「演算」については、142ページのコラムで解説しています。

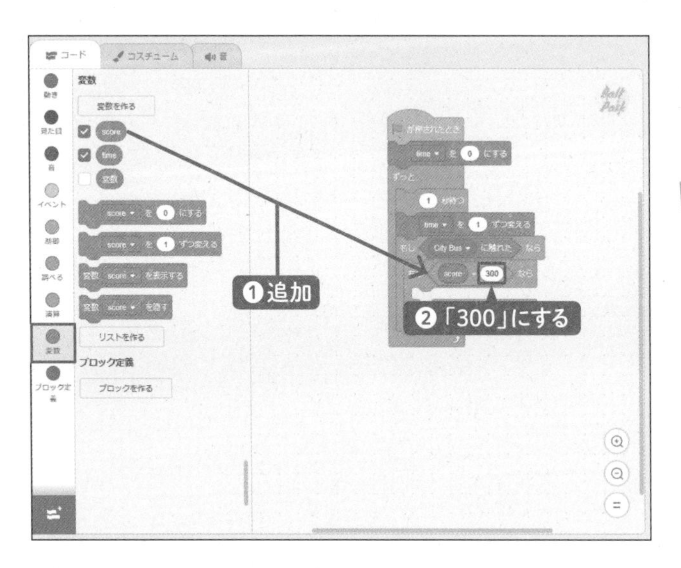

3 「変数」の「score」をドラッグして左の○に追加し、「score=300」のようにします。

MEMO

これで、もしバスに触れて、さらにscoreが300ならば、この後のプログラムを実行することができます。

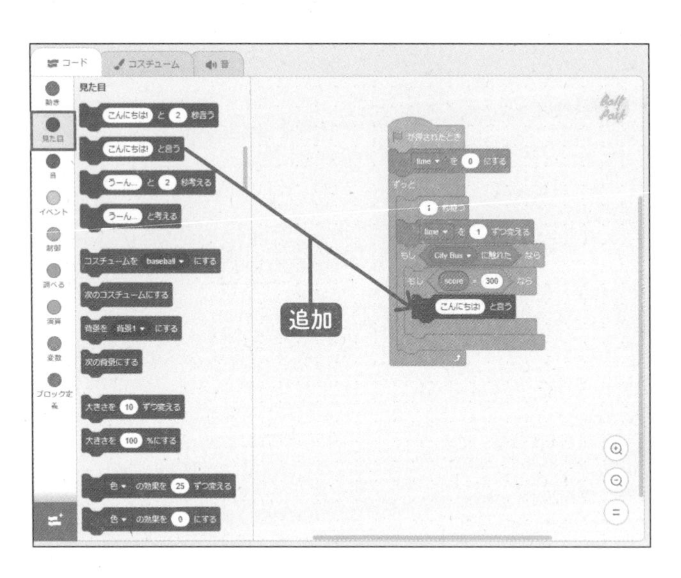

4 「見た目」の「(こんにちは！)と言う」ブロックを「もし○なら」ブロックの中に追加します。

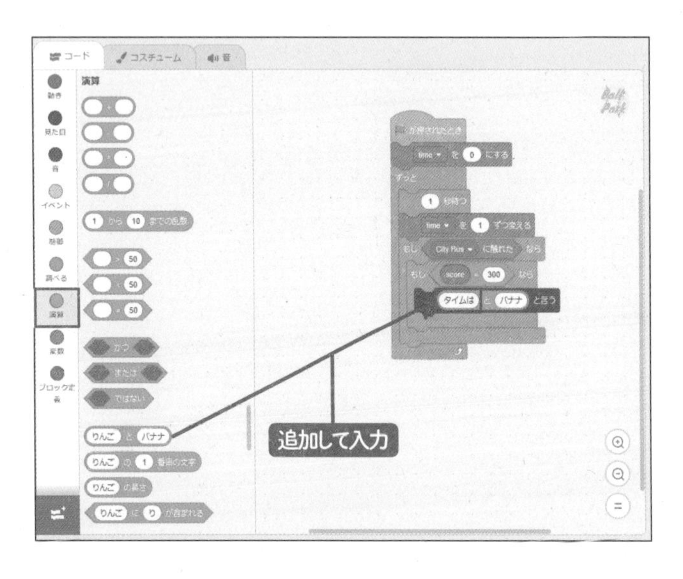

5 「演算」の「○と○」ブロックを「(こんにちは！)と言う」ブロックの(こんにちは！)部分に入れ、左の○に「タイムは」の文字を入れます。

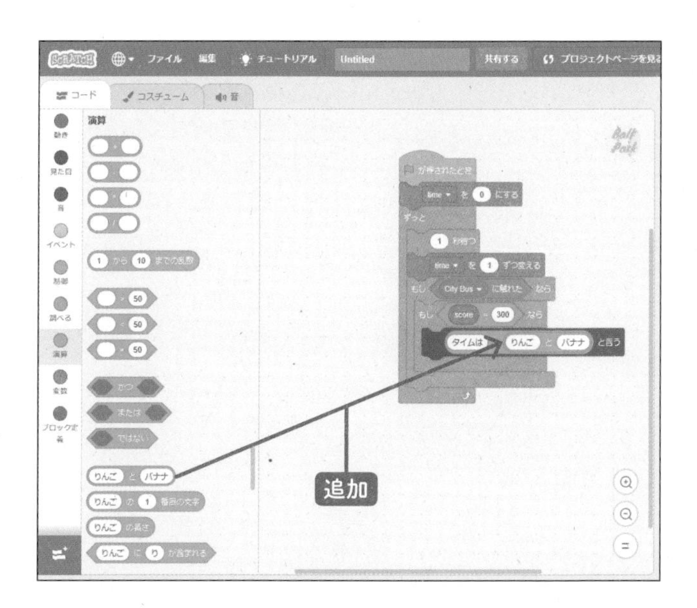

6

右の○に、もう一度「演算」の「○と○」ブロックを入れます。

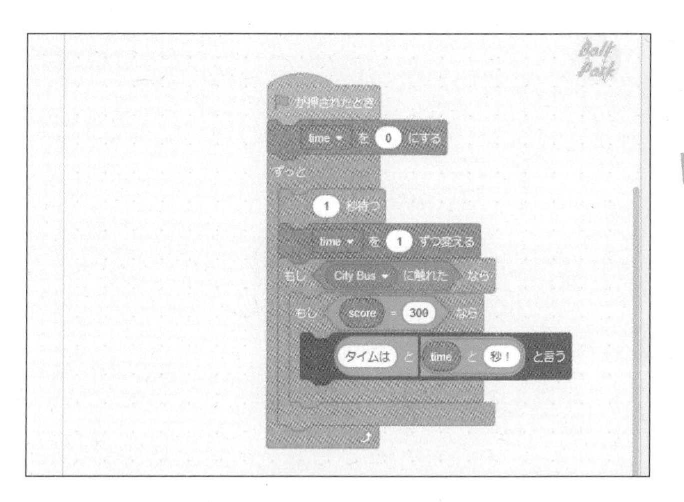

7

左の○に「変数」の「time」を入れ、右の○に「秒！」の文字を入れます。

MEMO

これで、ゴールしたときに、「タイムは57秒！」のように表示できます。

8

さらに、1秒待って音を鳴らします。「制御」の「1秒待つ」ブロックを追加したら、「音」の「終わるまで○の音を鳴らす」ブロックを追加します。

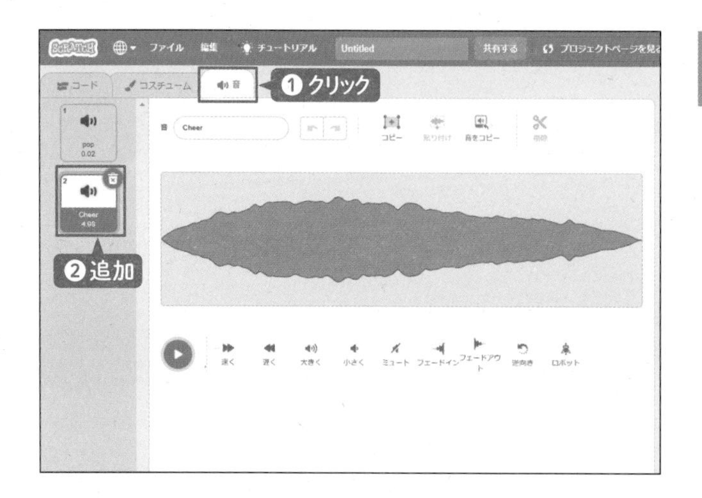

9 「音」をクリックし、左下の「音を選ぶ」にマウスポインターを合わせ、「音を選ぶ」をクリックして、「声」の「Cheer」を追加します。

10 「コード」をクリックし、「終わるまで○の音を鳴らす」ブロックで「Cheer」を選択します。

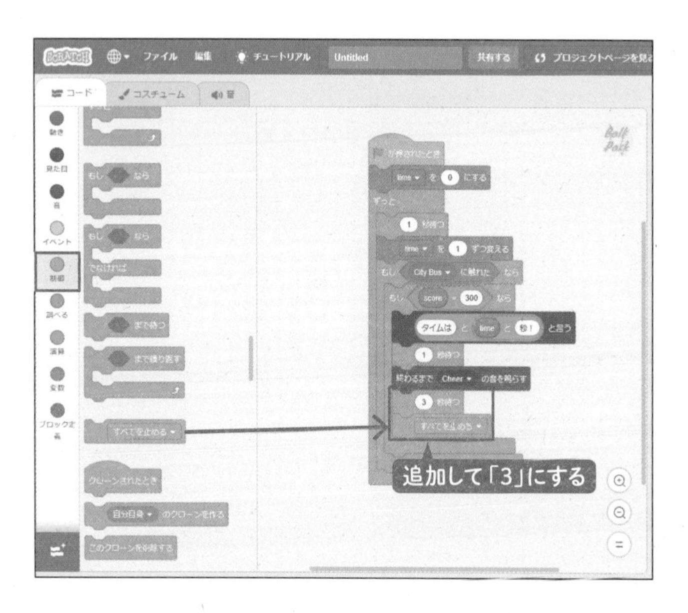

11 「制御」の「○秒待つ」ブロックを追加したら、「3秒待つ」のようにして、「すべてを止める」ブロックを追加します。

7 BGMを鳴らしてみよう

ゲームの実行中、ずっとBGMが鳴るようにしてみましょう。背景に、音を鳴らすプログラムを追加してみます。

背景に音を追加する

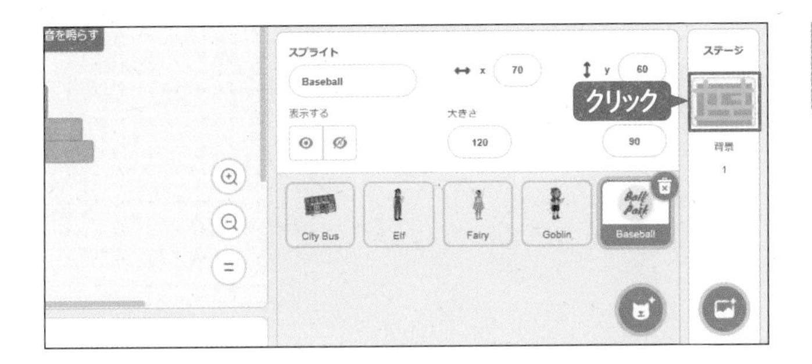

1 画面右下の「ステージ」に表示されている背景をクリックします。

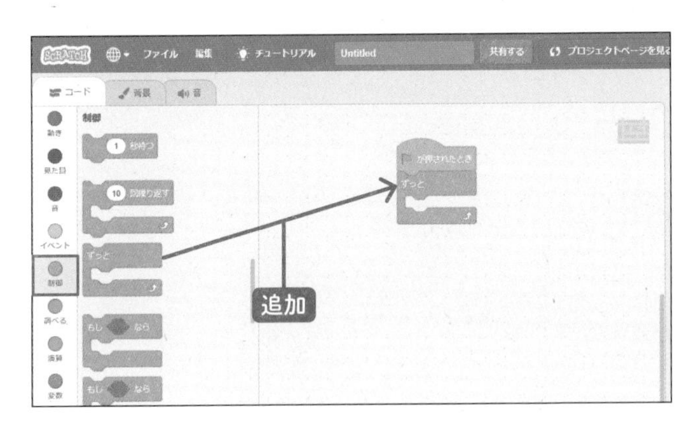

2 「イベント」の「緑の旗が押されたとき」ブロックをコードエリアまでドラッグし、「制御」の「ずっと」ブロックを追加します。

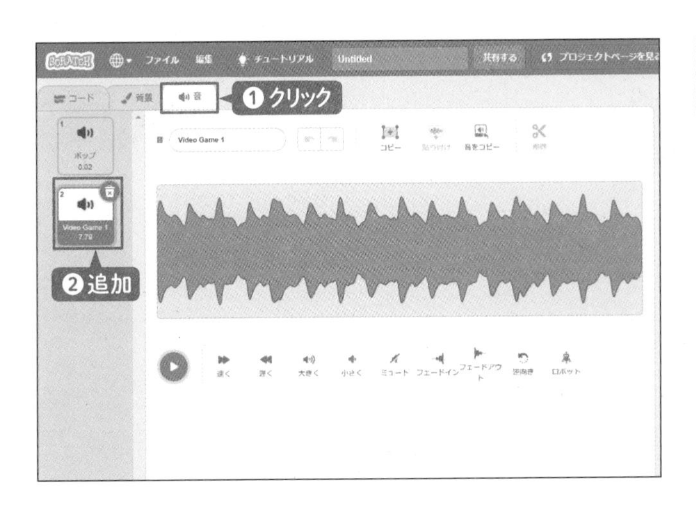

3 BGMを追加します。「音」をクリックし、左下の「音を選ぶ」にマウスポインターを合わせ、「音を選ぶ」をクリックし、「ループ」から「Video Game 1」を追加します。

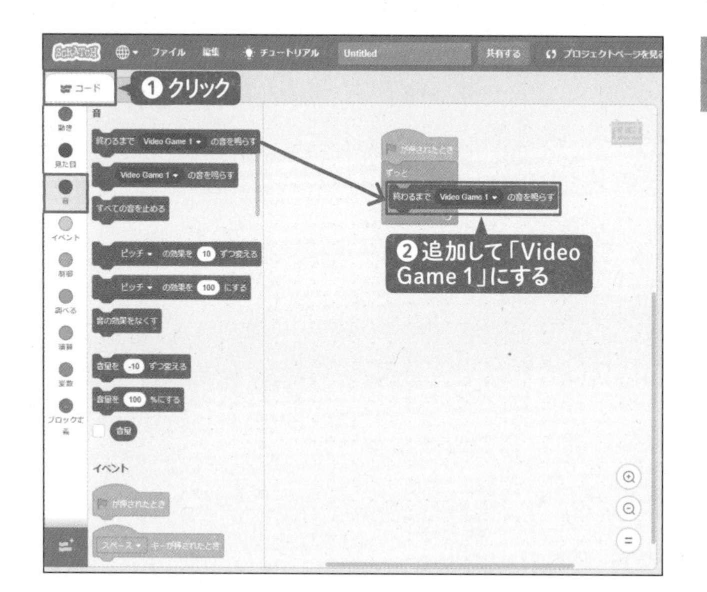

4

「コード」をクリックし、「ずっと」ブロックの中に、「音」の「終わるまで○の音を鳴らす」ブロックを追加し、「終わるまでVideo Game 1の音を鳴らす」のようにします。

5

「制御」の「○秒待つ」ブロックを追加して、「0.5秒待つ」のようにします。

MEMO

曲と曲の間に、少し時間をあけています。繰り返す曲がなるべく自然につながるようにしたいときは、さらに、音を編集する方法があります。「音」タブを表示して、「Video Game 1」をクリックしたら、「フェードイン」と「フェードアウト」ボタンをクリックしてみてください。

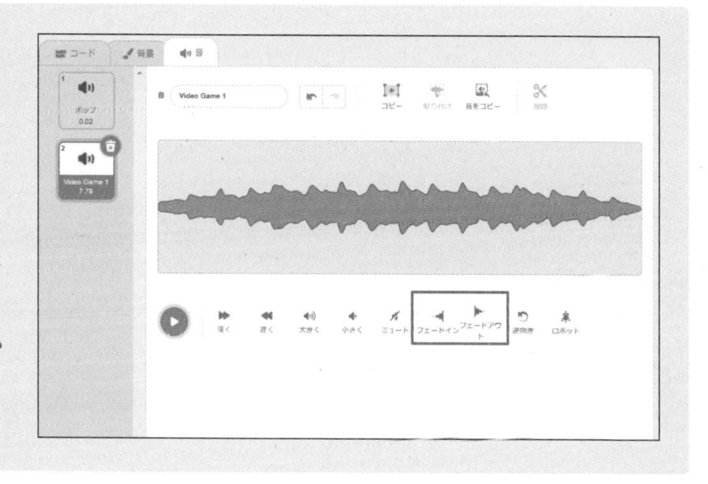

8 プログラムを実行してみよう

ここまででプログラムは完成です。試してみましょう。ゲームをスタートしたら、画面のクリックやタップで、バスをうまく誘導してください。乗客の近くに行ったら、効果音が鳴ります。すると、乗客がメッセージが表示して、バスに乗ってくれます。全員乗せることができたら、ゴールの野球場にバスを進めます。

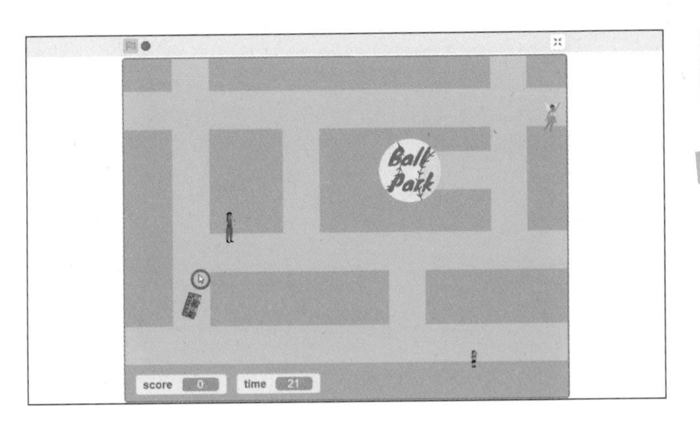

1 画面のクリックやタップで、バスを誘導します。

MEMO

ここでは道路に重ならないように、scoreとtimeを画面の左下にドラッグして移動しています。

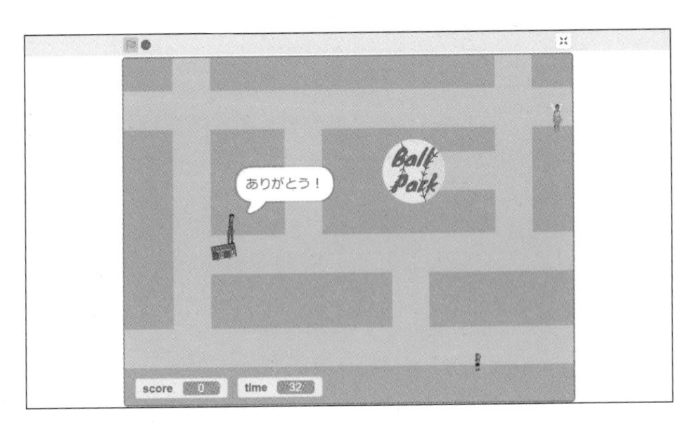

2 乗客に触れると、メッセージが表示され、バスに乗り込みます。

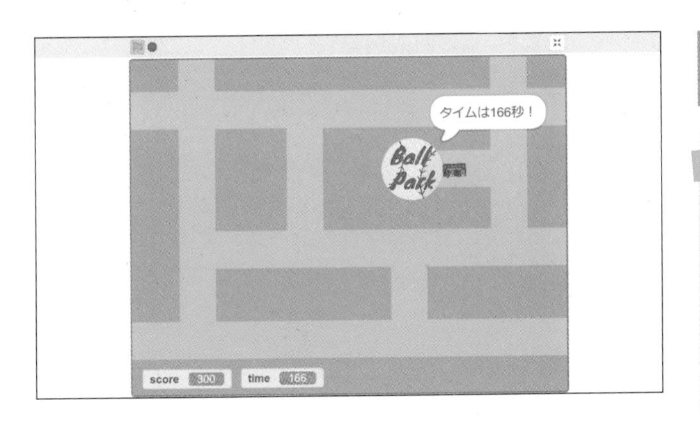

1 全員乗せてゴールすると、タイムが表示されます。

MEMO

道路の形を変えたり、乗客の位置を変えたり、乗客を増やしたり、いろいろな方法で改造してみてください。バスのサイズを変えることでも難易度を調整できます。

9 プログラムを改造してみよう

さらにプログラムを改造して、楽しむことができます。例えば、ゴールしたときに「ゴール」と表示されるようにしてみましょう。

ゴールの文字を表示する

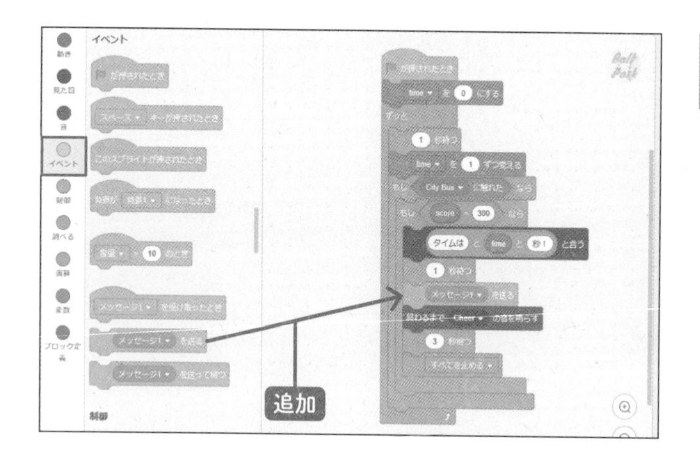

1 野球場のプログラムに、「イベント」の「○を送る」ブロックを追加します。

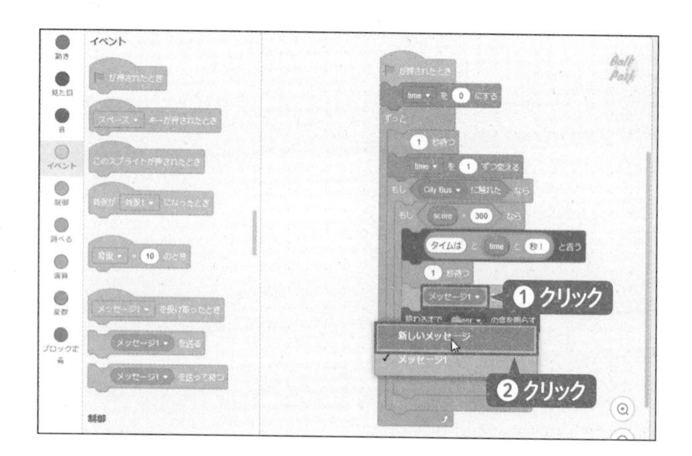

2 「○」をクリックして、「新しいメッセージ」をクリックします。

3 「新しいメッセージ名」に「ゴール」と入力して、「OK」をクリックします。

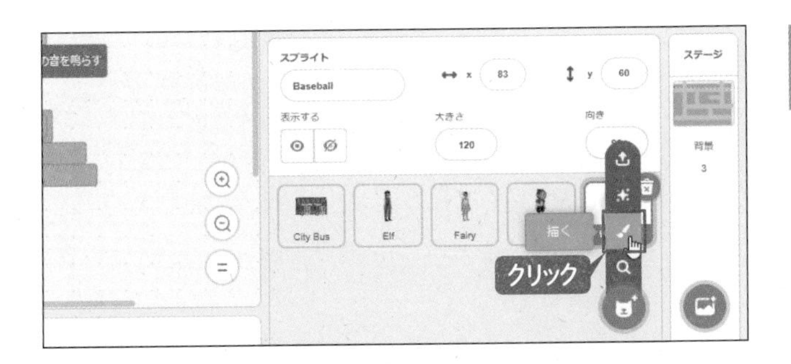

4 新しいスプライトにゴールの画面を作ります。画面右下の「スプライトを選ぶ」にマウスポインターを合わせ、「描く」をクリックします。

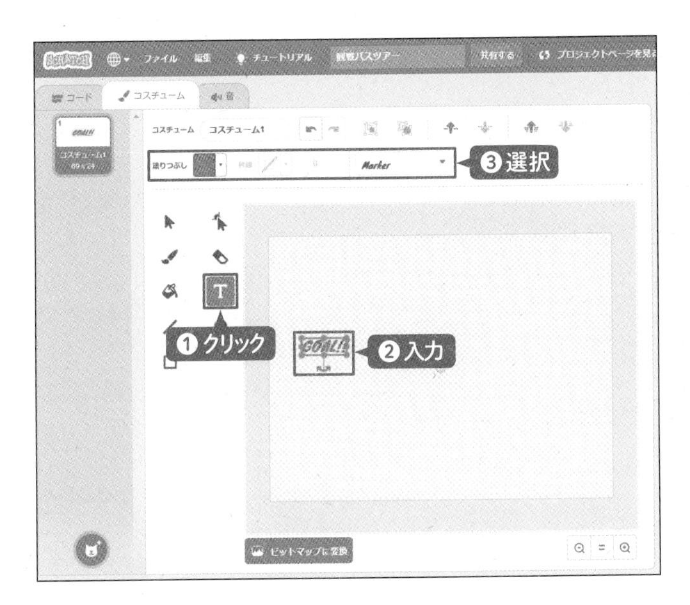

5 「テキスト」ボタンをクリックして、「GOAL!!」と入力しています。文字色やフォントも選びます。

6 サイズを調整します。

7 ここでは、さらに色を変えた文字を入力し、2つの文字列を重ねています。

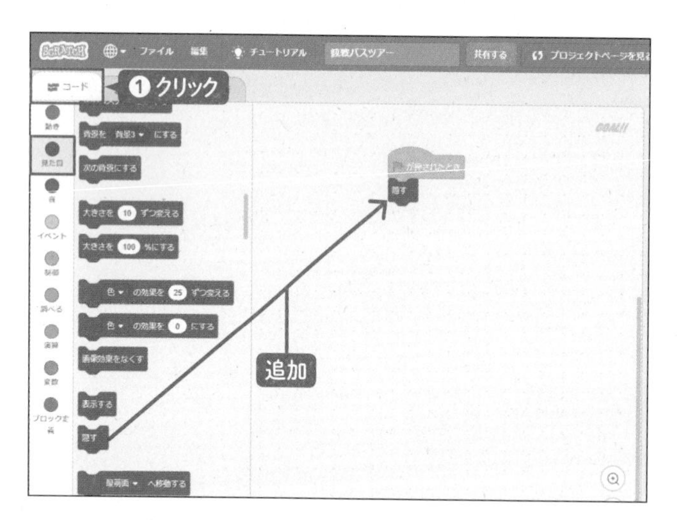

8 「緑の旗」ボタンが押されたときのプログラムを作ります。「コード」をクリックして、「イベント」の「緑の旗が押されたとき」ブロックをコードエリアまでドラッグし、「見た目」の「隠す」を追加します。

MEMO

最初から「GOAL!!」の文字が表示されないように、隠しています。

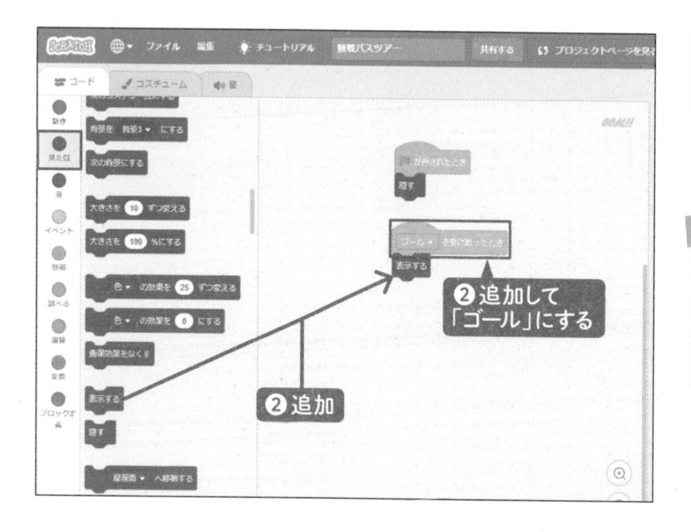

9 「イベント」の「○を受け取ったとき」ブロックを追加し、「ゴールを受け取ったとき」のようにします。「見た目」の「表示する」を追加します。

MEMO

これで、バスが野球場にゴールしたら「ゴール」のメッセージが送られて、「GOAL!!」の文字が表示されます。

スプライトを自分で作る

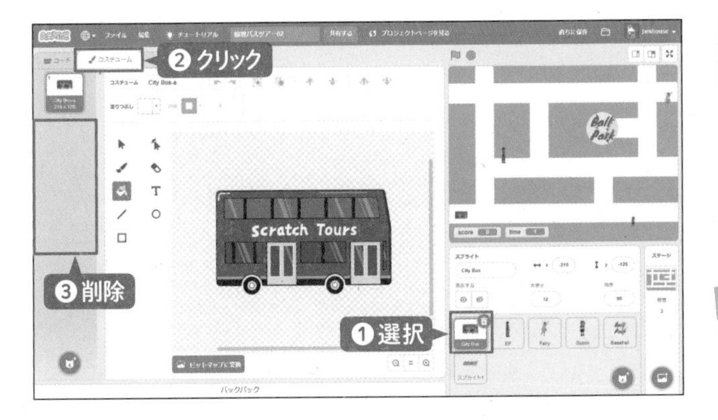

1 スプライトは、自分で手書きすることもできます。ここでは、バスをオリジナルのデザインにしてみます。バスのスプライトを選択し、「コスチューム」をクリックしたら、2〜4のコスチュームを削除します。

MEMO
ここでは道路の色を白に変更しています。

2 「選択」ボタンをクリックし、表示された「削除」ボタンをクリックして画像をすべて削除します。

3 描画のツールを選んで、描いてみましょう。

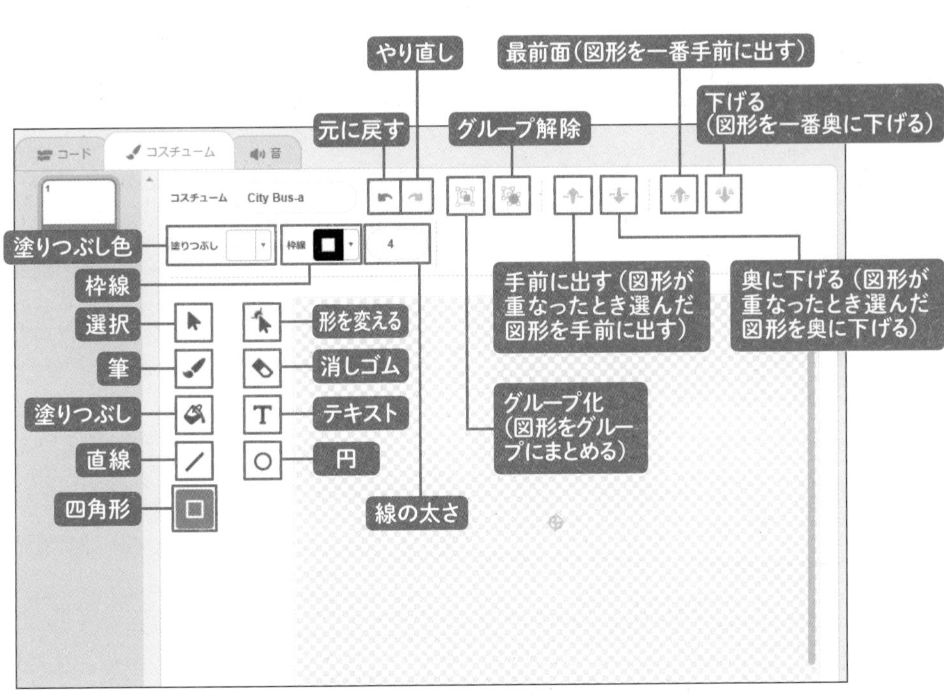

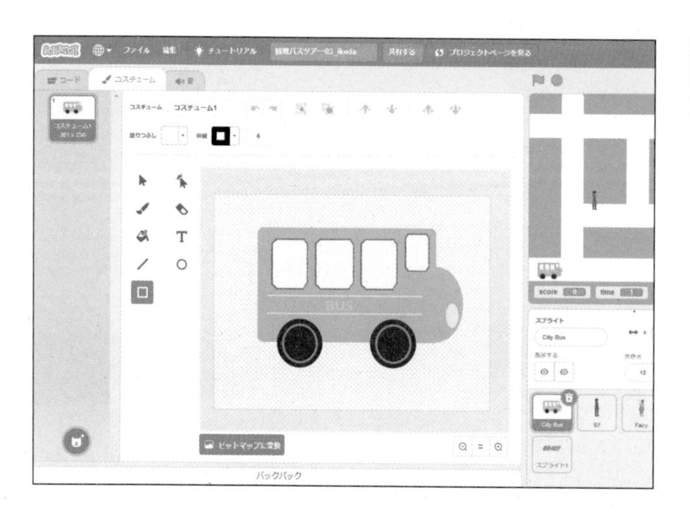

オリジナルのバスを描いてみました。

- 車体部分は四角形。消しゴムで角を丸くした。
- ボンネットとライトは円で描画。
- タイヤは2つの円を重ねて作成。
- 飾りは直線で、中の文字はテキストで入力。
- 窓は、四角形の四隅を消しゴムで消した後に、枠線を付けたもの。

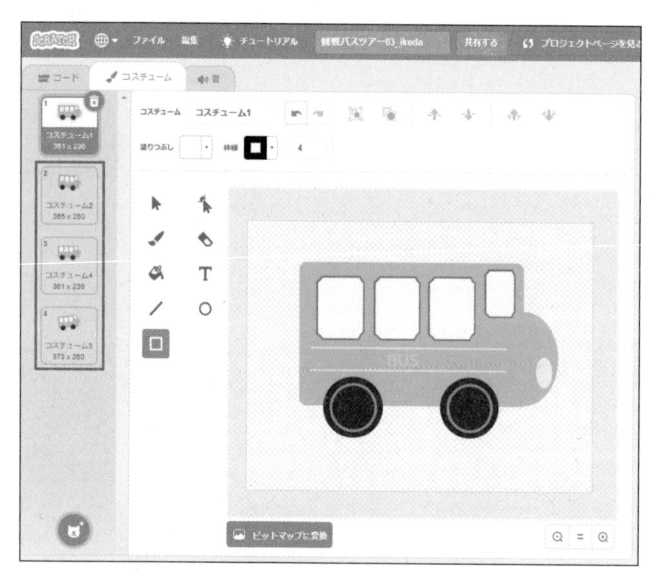

119ページを参照して、4つのコスチュームを作成します。

プログラムの大切な機能の1つに、137ページに出てきた演算があります。「演算」は、足し算（+）、引き算）（−）、かけ算（×）、割り算（÷）や、大なり（>）、小なり（<）、等しい（=）など、いずれも算数で見覚えがある計算のことです。

数字を足したり引いたりすることができ、プログラムの中で加減乗除の計算をすれば、間違いなく答えを出してくれます。また、数字が大きい小さい、等しいといったことを調べることができます。131ページでは、変数の「score」が、数字の300と等しいかどうかを判断するために、演算を使いました。

もう1つ、演算の中にある便利な機能に、「乱数」があります。サイコロの目のように、決まった数字ではない、ランダムな数字を出すことができます。例えば、次の画面は簡単なじゃんけんゲームです。1～3の乱数を発生させて、スプライトは「1ならグー」、「2ならチョキ」、「3ならパー」と言ってくれます。

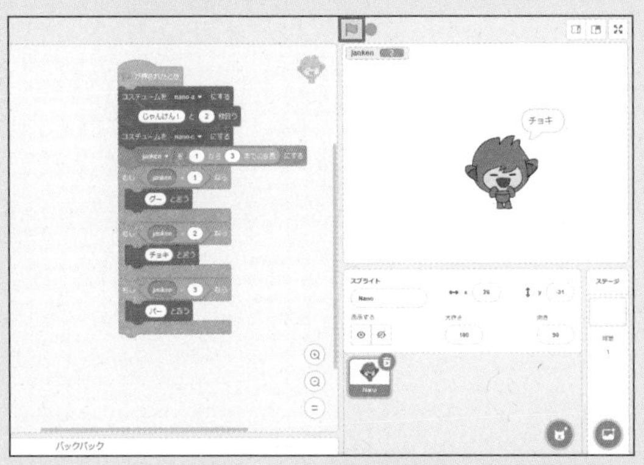

「緑の旗」ボタンをクリックすると、スプライトの「Nano」が、じゃんけんしてくれます。

じゃんけんゲームをもっと作り込むと、あなたの分身を登場させてグー、チョキ、パーを出し、勝ち負けの判定までさせることができます。「ゆび1本ではじめるScratch 3.0かんたんプログラミング［超入門編］」で、その方法を解説しているので、よろしければ手に取ってみてください。

グー、チョキ、パーのカードを選ぶと、勝ち負けの判定をして、スプライトがリアクションしてくれます。

じゃんけんだけでなく、今日の晩ご飯を乱数で決めてもいいでしょう。「1ならカレー」、「2ならハンバーグ」、「3ならコロッケ」のようにしてみてください。さらに乱数の範囲を増やせば、メニューを増やすことができます。

● 本書の内容に関する感想、お問い合わせは、下記のメールアドレス、あるいはFAX番号あてにお願いいたします。電話によるお問い合わせには、応じかねます。

メールアドレス◆ mail@jam-house.co.jp　FAX番号◆ 03-6277-0581

● 本書に掲載している情報は、本書作成時点の内容です。ホームページアドレス（URL）やアプリの価格、サービス内容は変更となる可能性があります。

● 本書の内容に基づく運用結果について、弊社は責任を負いません。ご了承ください。

● 万一、乱丁・落丁本などの不良がございましたら、お手数ですが弊社までご送付ください。送料は弊社負担でお取り替えいたします。

仕事でおうちで役立つ！
おとなのプログラミング入門

2021年8月25日　初版第1刷発行

著者　ジャムハウス編集部
発行人　池田利夫
発行所　株式会社ジャムハウス
〒170-0004　東京都豊島区北大塚2-3-12
ライオンズマンション大塚角萬302号室
カバー・本文デザイン　船田久美子
カバー・本文イラスト　KAM
本文DTP・印刷・製本　株式会社厚徳社

定価はカバーに明記してあります。
ISBN　978-4-906768-93-6